Остросюжетные
романы
Татьяны КОГАН
из серии
ЧУЖИЕ ИГРЫ –
по-настоящему захватывающее
чтение. Автор, как никто,
откровенна с читателями,
обнажая самые темные стороны
человеческих душ и тайных
желаний.

Герои **Татьяны КОГАН** буквально
оживают на глазах читателя, а
рассказанные истории проникают
в самое сердце!

Когда ИГРА
становится смертельно опасной,
возмездие неизбежно!

www.eksmo.ru

ЧУЖИЕ
ИГРЫ

ТАТЬЯНА КОГАН

Человек без сердца

ЭКСМО

Москва

2015

УДК 821.161.1-312.4
ББК 84(2Рос=Рус)6-44
К 57

Оформление серии *С. Груздева*

Коган, Татьяна Васильевна.

К 57   Человек без сердца : роман / Татьяна Коган. — Москва : Эксмо, 2015. — 320 с. — (Чужие игры. Остросюжетные романы Т. Коган).

ISBN 978-5-699-77800-3

Мысль о том, что он обыкновенный мерзавец, больно ранила психотерапевта Ивана Кравцова. Чертова слепота! Провоцирует искренность. В темноте притворство теряет смысл. Только сейчас он начал осознавать, насколько жестокой и циничной стала игра, которую компания его друзей начала еще в школе: по очереди исполнять желания друг друга — от относительно невинных до по-настоящему преступных. И к чему это привело? Макс разорен, Лиза пропала без вести, Глеб лишился семьи и никак не придет в себя после искусственной амнезии... Как же теперь жить дальше и удастся ли ему когда-нибудь искупить то, что он совершил?

УДК 821.161.1-312.4
ББК 84(2Рос=Рус)6-44

ISBN 978-5-699-77800-3

Глава 1

∎

Психотерапевт Иван Кравцов сидел у окна в мягком плюшевом кресле. Из открытой форточки доносился уличный гул; дерзкий весенний ветер трепал занавеску и нагло гулял по комнате, выдувая уютное тепло. Джек (так его величали друзья в честь персонажа книги про доктора Джекила и мистера Хайда) чувствовал легкий озноб, но не предпринимал попыток закрыть окно. Ведь тогда он снова окажется в тишине — изматывающей, ужасающей тишине, от которой так отчаянно бежал.

Джек не видел окружающий мир уже месяц. Целая вечность без цвета, без света, без смысла. Две операции, обследования, бессонные ночи и попытки удержать ускользающую надежду — и все это для того, чтобы услышать окончательный приговор: «На данный момент вернуть зрение не представляется возможным». Сегодня в клинике ему озвучили неутешительные результаты лечения и предоставили адреса реабилитационных центров для инвалидов по зрению. Он вежливо поблагодарил врачей, приехал домой на такси, поднялся в квартиру и, пройдя в гостиную, сел у окна.

Странное оцепенение охватило его. Он перестал ориентироваться во времени, не замечая, как минуты превращались в часы, как день сменился вечером, а вечер — ночью. Стих суетливый шум за окном. В комнате стало совсем холодно.

Джек думал о том, что с детства он стремился к независимости. Ванечка Кравцов был единственным ребенком в семье, однако излишней опеки не терпел абсолютно. Едва научившись говорить, дал понять родителям, что предпочитает полагаться на свой вкус и принимать собственные решения. Родители Вани были мудры, к тому же единственный сын проявлял удивительное для своего возраста здравомыслие. Ни отец, ни мать не противились ранней самостоятельности ребенка. А тот, в свою очередь, ценил оказанное ему доверие и не злоупотреблял им. Даже в выпускном классе, когда родители всерьез озаботились выбором его будущей профессии, он не чувствовал никакого давления с их стороны. Родственники по маминой линии являлись врачами, а дедушка был известнейшим в стране нейрохирургом. И хотя отец отношения к медицине не имел, он явно был не против, чтобы сын развивался в этом направлении.

Ожесточенных споров в семье не велось. Варианты дальнейшего обучения обсуждались после ужина, тихо и спокойно, с аргументами «за» и «против». Ваня внимательно слушал, озвучивал свои желания и опасения и получал развернутые ответы. В итоге он принял взвешенное решение и, окончив школу, поступил в мединститут на факультет психологии.

Ему всегда нравилось изучать людей и мотивы их поступков, он умел докопаться до истинных причин их поведения. Выбранная специальность предоставляла Джеку широкие возможности для совершенствования таких навыков. За время учебы он не пропустил ни одной лекции, штудируя дополнительные материалы и посещая научные семинары. К последнему курсу некоторые предметы студент Кравцов знал лучше иных преподавателей.

Умение видеть то, чего не видит большинство людей, позволяло ему ощущать себя если не избранным, то хотя бы не частью толпы. Даже в компании близких друзей Джек всегда оставался своеобразной темной лошадкой, чьи помыслы крайне сложно угадать. Он никогда не откровенничал, рассказывал о себе ровно столько, сколько нужно для поддержания в товарищах чувства доверия и сопричастности. Они замечали его уловки, однако не делали из этого проблем. Джеку вообще повезло с приятелями. Они принимали друг друга со всеми особенностями и недостатками, не пытались никого переделывать под себя. Им было весело и интересно вместе. Компания образовалась в средних классах школы и не распадалась долгие годы. Все было хорошо до недавнего времени...

Когда случился тот самый поворотный момент, запустивший механизм распада? Не тогда ли, когда Глеб, терзаемый сомнениями, все-таки начал пятый круг? Захватывающий, прекрасный, злополучный пятый круг...

Еще в школе они придумали игру, которая стала их общей тайной. Суть игры заключалась в том, что каждый из четверых по очереди озвучивал свое желание. Товарищи должны помочь осуществить его любой ценой, какова бы она ни была. Первый круг состоял из простых желаний. Со временем они становились все циничней и изощренней. После четвертого круга Глеб решил выйти из игры. В компании он был самым впечатлительным. Джеку нравились эксперименты и адреналин, Макс не любил ничего усложнять, а Елизавета легко контролировала свои эмоции. Джек переживал за Глеба и подозревал, что его склонность к рефлексии еще сыграет злую шутку. Так и произошло.

Последние пару лет Джек грезил идеей внушить человеку искусственную амнезию. Его всегда манили эксперименты над разумом, но в силу объективных причин разгуляться не получалось. Те немногие пациенты, которые соглашались на гипноз, преследовали цели незамысловатые и предельно конкретные, например, перестать бояться сексуальных неудач. С такими задачами психотерапевт Кравцов справлялся легко и без энтузиазма. Ему хотелось большего.

Чуть меньше года назад идея о собственном эксперименте переросла в намерение. Обстоятельства сложились самым благоприятным образом: Глеб, Макс и Елизавета уже реализовали свои желания. Джек имел право завершить пятый круг. И он не замедлил своим правом воспользоваться.

Они нашли подходящую жертву. Подготовили квартиру, куда предполагалось поселить лишенного памяти подопытного, чтобы Джеку было удобно за ним наблюдать. Все было предусмотрено и перепроверено сотню раз и прошло бы без сучка и задоринки, если бы не внезапное вмешательство Глеба.

Он тогда переживал не лучший период в жизни —

родной брат погиб, жена сбежала, отношения с друзьями накалились. Но даже проницательный Джек не мог предположить, насколько сильна депрессия Глеба. Так сильна, что в его голове родилась абсолютно дикая мысль — добровольно отказаться от своего прошлого. Глеб не желал помнить ни единого события прежней жизни. Он хотел умереть — немедленно и безвозвратно. Джек понимал, что если ответит Глебу отказом, тот наложит на себя руки. И Кравцов согласился.

К чему лукавить — это был волнующий опыт. Пожалуй, столь сильных эмоций психотерапевт Кравцов не испытывал ни разу. Одно дело ставить эксперимент над незнакомцем и совсем другое — перекраивать близкого человека, создавая новую личность. Жаль, что эта новая личность недолго находилась под его наблюдением, предпочтя свободу и сбежав от своего создателя. Джек утешился быстро, понимая: рано или поздно память к Глебу вернется, и он появится на горизонте. А чтобы ожидание блудного друга не было унылым, эксперимент по внушению амнезии можно повторить с кем-то другим[1].

Джек поежился от холода и усмехнулся: теперь ему сложно даже приготовить себе завтрак, а уж об играх с чужим сознанием речь вообще не идет. Вот так живешь, наслаждаясь каждым моментом настоящего, строишь планы, возбуждаешься от собственной дерзости и вдруг в один миг теряешь все, что при-

---

[1] Читайте об этом в романах Татьяны Коган «Только для посвященных» и «Мир, где все наоборот», издательство «Эксмо».

надлежало тебе по праву. Нелепое ранение глазного яблока — такая мелочь для современной медицины. Джек переживал, но ни на секунду не допускал мысли, что навсегда останется слепым. Заставлял себя рассуждать здраво и не впадать в отчаяние. Это было трудно, но у него просто не оставалось другого выхода. В критических ситуациях самое опасное — поддаться эмоциям. Только дай слабину — и защитные барьеры, спасающие от безумия, рухнут ко всем чертям. Джек не мог так рисковать.

В сотый раз мысленно прокручивал утренний разговор с врачом и никак не мог поверить в то, что ничего нельзя изменить, что по-прежнему никогда не будет и отныне ему предстоит жить в темноте. Помилуйте, да какая же это жизнь? Даже если он научится ориентироваться в пространстве и самостоятельно обеспечивать себя необходимым, есть ли смысл в таком существовании?

К горлу подступила тошнота, и Джеку понадобились усилия, чтобы справиться с приступом. Психосоматика, чтоб ее... Мозг не в состоянии переварить ситуацию, и организм реагирует соответствующе. Вот так проблюешься на пол и даже убраться не сможешь. Макс предлагал остаться у него, но Джек настоял на возвращении домой. Устал жить в гостях и чувствовать на себе сочувствующие взгляды друга, его жены, даже их нелепой собаки, которая ни разу не гавкнула на незнакомца. Вероятно, не посчитала слепого угрозой.

Вопреки протестам Макса, несколько дней назад Джек перебрался в свою квартиру. В бытовом плане стало труднее, зато отпала необходимость притворяться. В присутствии Макса Джек изображал оптимистичную стойкость, расходуя на это много душевных сил. Не то чтобы Кравцов стеснялся проявлений слабости, нет. Просто пока он не встретил человека, которому бы захотел довериться. Тот же Макс — верный друг, но понять определенные вещи не в состоянии. Объяснять ему природу своих страхов и сомнений занятие энергозатратное и пустое. Они мыслят разными категориями.

В компании ближе всех по духу ему была Елизавета, покуда не поддалась неизбежной женской слабости. Это ж надо — столько лет спокойно дружить и ни с того ни с сего влюбиться. Стремление к сильным впечатлениям Джек не осуждал. Захотелось страсти — пожалуйста, выбери кого-то на стороне да развлекись. Но зачем поганить устоявшиеся отношения? Еще недавно незрелый поступок подруги, как и некоторые другие события, всерьез огорчали Ивана. Сейчас же воспоминания почти не вызывали эмоций, проносясь подвижным фоном мимо одной стабильной мысли.

Зрение никогда не восстановится.

Зрение. Никогда. Не восстановится.

Джек ощущал себя лежащим на операционном столе пациентом, которому вскрыли грудную клетку. По какой-то причине он остается в сознании и внимательно следит за происходящим. Боли нет. Лишь леденящий ужас от представшей глазам картины. Собственное сердце — обнаженное, красное, скользкое — пульсирует в нескольких сантиметрах от лица. И столь омерзительно прекрасно это зрелище, и столь тошнотворно чарующ запах крови, что хочется или закрыть рану руками, или вырвать чертово сердце... Только бы не чувствовать. Не мыслить. Не осознавать весь этот кошмар.

Джек вздрогнул, когда раздался звонок мобильного. Все еще пребывая во власти галлюцинации, он автоматически нащупал в кармане трубку и поднес к уху:

— Слушаю.

— Здорово, старик, это я. — Голос Макса звучал нарочито бодро. — Как ты там? Какие новости? Врачи сказали что-нибудь толковое?

— Не сказали.

— Почему? Ты сегодня ездил в клинику? Ты в порядке?

Джек сделал глубокий вдох, унимая внезапное раздражение. Говорить не хотелось. Однако, если не успокоить приятеля, тот мгновенно явится со спасательной миссией.

— Да, я в порядке. В больницу ездил, с врачом говорил. Пока ничего определенного. Результаты последней операции еще не ясны.

В трубке послышалось недовольное сопение:

— Может, мне с врачом поговорить? Что он там воду мутит? И так уже до хрена времени прошло.

— Макс, я ценю твои порывы, но сейчас они ни к чему, — как можно мягче ответил Джек. — Все идет своим чередом. Не суетись. Договорились? У меня все нормально.

— Давай я приеду, привезу продуктов. Надьку заодно прихвачу, чтобы она нормальный обед приготовила, — не унимался друг.

Джек сжал-разжал кулак, призывая самообладание.

— Спасибо. Тех продуктов, что ты привез позавчера, хватит на несколько недель. Пожалуйста, не беспокойся. Если мне что-то понадобится, я тебе позвоню.

Максим хмыкнул:

— И почему у меня такое чувство, что если я сейчас не отстану, то буду послан? Ладно, старик, больше не надоедаю. Вы, психопаты, странные ребята. Наберу тебе на неделе.

— Спасибо. — Джек с облегчением положил трубку. Несколько минут сидел неподвижно, вслушиваясь в монотонный гул автомобилей, затем решительно встал и, нащупав ручку, закрыл окно.

Если он немедленно не прекратит размышлять, то повредит рассудок. Нужно заставить себя заснуть. Завтра будет новый день. И, возможно, новые решения. Перед тем как он впал в тревожное забытье, где-то на задворках сознания промелькнула чудовищная догадка: жизнь закончена. Иван Кравцов родился, вырос и умер в возрасте тридцати трех лет.

Глава 2

∎

Максим Гладко швырнул телефон на диван и повертел головой, разминая шею. Разговор с приятелем ему не понравился. Макс не отличался особой проницательностью, однако долгие годы дружбы научили его интуитивно чувствовать настроение товарищей. И то, что он сейчас почувствовал, нельзя назвать позитивным. Конечно, глупо требовать от человека, утратившего зрение, оптимизма. Однако Джек всегда умел мыслить рационально, абстрагируясь от эмоций. Судя по его тону, на этот раз ему плохо удавалось не поддаваться унынию.

Макс голову сломал в попытках приободрить друга. Честно говоря, это Джеки традиционно выступал в роли мудрого наставника, умея несколькими фразами восстановить душевное равновесие товарища и помогая беспристрастно взглянуть на ситуацию. У Макса подобных навыков не имелось, и тем большую растерянность он сейчас испытывал.

Когда Джек заявил, что собирается жить отдельно, Макс опешил. Он даже приблизительно не представлял, как может самостоятельно существовать незрячий человек. Ладно, если ты родился слепым или у тебя было несколько лет для адаптации. Но вот так — внезапно стать беспомощным и, однако ж, требовать независимости — это за гранью здравого смысла. От предложения нанять помощницу Джек отказался. Макс не понимал причин его упрямства. Может, он стесняется своей временной инвалидности? Не хочет быть ни для кого обузой? Но ведь это же полный бред! Каждый когда-нибудь нуждается в поддержке.

Была бы Лизка рядом — обязательно что-нибудь придумала бы. Впрочем, Лиза — тема отдельная. Несколько дней Макс обрывал ее телефон — тщетно. Ездил к ней домой, но дверь тоже никто не открыл. Пытался расспрашивать соседей, но те смотрели настороженно и на контакт не шли. Уже неделю Макс ежедневно наведывался к дому подруги, надеясь ее встретить. Хотелось верить, что она сорвалась куда-нибудь на отдых, как уже бывало неоднократно. В таком случае, почему не отвечает на звонки и sms?

ЧЕЛОВЕК БЕЗ СЕРДЦА

Сперва Макс предположил, что Лизка не хочет с ним общаться. Мало ли, какая дурь у бабы в голове. Придумала себе повод и обиделась. Набрал с телефона Джека — уж ему-то она наверняка бы ответила. Результат тот же. Все это действительно начинало беспокоить. Особенно с учетом недавних событий.

Что, если мистер-не-знаю-кто, ворвавшийся в офис к Максу и угрожавший Джеку, добрался и до Лизы? Кем бы ни являлся этот таинственный тип, настроен он крайне враждебно. Его телохранители едва не сломали Максу ногу, но это оказалось цветочками по сравнению с разорением фирмы. Хренов извращенец подошел к делу с маниакальной дотошностью. Мало того, что несколько месяцев подготавливал банкротство его компании, так еще и проститутку подослал, с которой Макс здорово порезвился. Получив красноречивое видео, Надька фыркнула и ушла, угрожая подать на развод. К счастью, баба она неглупая, перебесилась и вернулась. Но скольких нервов это ему стоило!

Неужели новоявленный мститель добрался и до Лизки? Убить он вряд ли ее убьет, но гнусно поиздеваться может — в изобретательности ему не откажешь. И может быть, в эту минуту, когда он, Макс, расхаживает по комнате в тепле и комфорте, подруга переживает не самые приятные моменты в своей жизни... А он ничего не может сделать, потому что не имеет ни малейшего понятия, где ее искать и кто ее похититель.

Гипотеза о том, что Лизку похитили, переросла в твердую уверенность. И хотя логика подсказывала, что он, вероятно, поторопился с выводами, другие версии отметались на корню. Так разволновался, что не заметил, как стал разговаривать сам с собой, меряя гостиную размашистым шагом.

— Ты чего? — В проеме двери показалась заспанная жена. — Что-то случилось?

Макс мысленно чертыхнулся. Еще не хватало Надьку втягивать!

— Все путем, принцесса. Иди спи.

— А ты?

— А мне надо смотаться кое-куда. Я скоро вернусь.

Надя подозрительно посмотрела на мужа:

— Первый час ночи. Какие дела в это время?

Макс приблизился к жене и ласково приподнял ее подбородок.

— Не бойся, больше никаких любовниц.

— Свежо предание, — беззлобно буркнула Надя. Мужа она любила и предпочитала доверять ему. Так было проще и приятнее. — Ты надолго?

— Туда и обратно. Ты же знаешь, фирма разорилась, надо думать, как зарабатывать бабки. Хочу обсудить кое с кем один проект. А ты марш в кровать. — Он развернул жену и подтолкнул к спальне, нежно хлопнув по мягкому месту.

Макс не думал, почему именно сейчас ему снова понадобилось оказаться у Лизкиного дома. Он спустился вниз, сел в машину и завел двигатель. Для начала мая было очень тепло; Гладко опустил водительское стекло и положил локоть на кромку двери, с наслаждением чувствуя, как холодит кожу свежий ночной воздух. Бывало, он отвозил Лизку домой после очередной попойки с друзьями. Раньше они часто встречались. Вчетвером заваливались в ресторан, подолгу и оживленно болтали. Глеб тогда не строил из себя праведника, Джеки не изображал отшельника, а подруга не отказывалась порой покувыркаться с Максом в постели. Все было так просто, так легко. А теперь? Глеб лишился памяти, Джек ослеп, Лизка пропала без вести, а Макс остался у разбитого корыта. Не жизнь, а мечта мазохиста.

Свободного места для парковки во внутреннем дворике не наблюдалось, Макс оставил автомобиль чуть дальше на улице и медленно обошел вокруг дома. Было удивительно тихо и безлюдно, будто по какой-то таинственной причине все обитатели высотки разом погибли. Ни движения, ни звука. Тишина и мертвецкий покой. Лишь редкие горящие окна говорили о том, что еще недавно здесь бурлила жизнь. Макс повел плечами, прогоняя неуместную фантазию. Присел на сырую лавочку, достал сигареты и принялся вертеть пачку в руках. Он бросил курить и снова начинать не планировал. Продолжал по привычке носить сигареты с собой. Парадокс, но это успокаивало.

С Лизкой они не виделись с зимы. Они с Джеком сидели у него дома, обсуждали предстоящую встречу с Глебом. Подруга явилась без предупреждения и, похоже, не очень обрадовалась присутствию Макса. Весь вечер яростно сверлила Джекила взглядом, явно чего-то желая. Тогда Макс едва сдержался, чтобы не придушить ее прямо на месте. Эта сука всегда трепала ему нервы, но на сей раз перешла все границы, бесстыдно демонстрируя влечение к давнему другу. Она никогда не удовлетворялась тем, что имела. Желала большего, и нередко за счет других. Ненасытная тварь. Ей одной удавалось будить в Максиме весь спектр эмоций — от лютой ненависти до страстного помешательства.

Из ближайшей арки показался мужской силуэт, замялся в нерешительности и двинулся в сторону одинокой фигуры.

— Простите, сигареты не найдется?

Макс окинул парня беглым взглядом и молча протянул открытую пачку. Тот достал зажигалку, прикурил и затянулся, жмурясь от удовольствия.

— Не возражаете, если я присяду?

Макс отодвинулся, освобождая ему место. Парень благодарно кивнул и уселся, откинувшись на спинку скамейки. Ему было не больше двадцати пяти, однако правильные черты лица делали его еще моложе.

— Хорошая ночь, не правда ли?

Макс с недоумением уставился на него. Вот уж с мужиками красоты ночи он точно обсуждать не намерен.

— Ничего хорошего.

Парень улыбнулся:

— Почему вы так считаете?

— Ты хочешь поговорить, что ли? — не очень дружелюбно ответил вопросом Макс.

— А вы нет? Вы просто так зашли в чужой двор и уселись в одиночестве на скамейку? — Парень затянулся и хитро прищурился.

— Может быть, я здесь живу и вышел подышать воздухом, — вяло отозвался Максим. Злость, вызванная воспоминаниями о подлости Лизки, испарилась, оставив после себя тоскливую усталость.

— Нет. Вы здесь не живете. Я тут почти всех знаю.

— Елизавету Гончарову тоже знаешь?

— Знаю. Худая брюнетка из 120-й квартиры.

Макс заинтересованно хмыкнул. Чем черт не шутит, вдруг пацан скажет что-нибудь дельное?

— Ты в курсе, где она?

— Никто не в курсе. Она ж вроде как пропала месяц назад. Пока не нашли.

Макс почувствовал, как похолодели ладони, а скулы свело. Во рту появился горьковатый привкус. Месяц назад? Уже целый месяц никто не знает, где находится Лиза?

— Расскажи мне все, что тебе известно об этом, — попросил Макс. Его лицо выражало крайнюю степень серьезности. Парень перестал улыбаться:

— Знаю немного. Гончарова несколько дней не появлялась дома, и няня, присматривавшая за ее дочкой, подала заявление. Вам тоже лучше в полицию обратиться, у них больше информации будет.

— А что с малой?

— Без понятия. Наверное, родственники забрали.

— Нет у нее родственников. — Макс вытащил сигарету, сунул в рот и тут же выплюнул. Все получалось еще хуже, чем он предполагал. Неужели мстительный ублюдок осмелился зайти столь далеко? Чем же ему так насолила Лиза, чтобы удерживать ее столько времени? А вдруг он ее попросту прикончил?

— Значит, в интернат отдали. Или детдом.

— Что? — не понял Макс, успевший позабыть о собеседнике.

— Ребенка Гончаровой отдали в интернат, говорю. — Парень выдержал паузу. — Вы ее близко знали?

— Ближе, чем ты думаешь. — Макс поднялся, прикидывая в уме, какие действия следует предпринять завтра утром. Первым делом надо смотаться в участок. Затем выяснить, куда дели Лизкину девчонку. Негоже оставлять ее без присмотра. Потом поговорить с Джеком.

— Сочувствую. — Парень вздохнул, глядя вслед удалявшемуся мужчине. На долю секунды заколебался — может, остановить его? Рассказать то, что не рассказал следователю? За пару дней до исчезновения Гончаровой с ним приключился небольшой казус. Костя шел через двор, возвращаясь домой, и обратил внимание на припаркованную у подъезда машину. Было уже темно, и он не разглядел лица сидевшего за рулем мужчины. Однако то, чем этот мужик занимался, сомнений не вызывало. Собственно, ничего необычного в этом не было. Мало ли эксгибиционистов, любящих мастурбировать в общественном месте. Но марку и номер машины Костя запомнил — не специально, само в память врезалось.

Когда Костю опрашивали в качестве свидетеля, этот случай вылетел из головы. А сегодня во время беседы с угрюмым незнакомцем вдруг вспомнился. Видно было, что известие об исчезновении Гончаровой сильно расстроило мужчину. Любопытно, кем он ей приходится? Любовником? Ведь ее мужа убили полтора года назад, а женщина она молодая, здоровая. Тогда почему он так долго не появлялся? Поссорились, что ли?

Костя улыбнулся своей привычке вечно совать нос в чужие дела. Он бы с радостью помог мужику, если бы обладал хоть какой-то полезной информацией. А относить к таковой несчастного онаниста, застигнутого врасплох, вряд ли уместно. Парень подождал, когда незнакомец скроется за углом дома, и направился к подъезду, думая о том, что поступил правильно. Мужик бы наверняка поднял его на смех...

Глава 3
∎

В тот момент, когда Максим Гладко удалялся от единственного человека, способного вывести на похитителя Лизы, тот самый похититель сидел на подвальных ступеньках и задумчиво смотрел на пленницу. Она лежала на узком диване, безучастно глядя в потолок, и, казалось, не замечала его присутствия.

Прошло чуть больше месяца с того момента, когда Тубис привел в дом новую невесту. Первые недели были прекрасны — жертва не давала ему скучать, обнаруживая удивительные черты характера. При всей своей темпераментности ей удавалось обуздывать рвущуюся наружу ненависть. Она старалась наладить контакт, разговаривала вежливо и отстраненно, словно вела деловые переговоры. Сначала ее поведение вызывало у Тубиса восторженное уважение, но постепенно приелось. Его увлекали надрыв и борьба, балансирование на грани сумасшествия. Все чаще обладание жертвой напоминало секс с секретаршей, которая равнодушно отдается боссу, чтобы сохранить работу. Он пытался растормошить Лизу, был груб и даже жесток, она дрожала от боли и отвращения, но не прекращала попыток диалога. Ее чудовищное самообладание выводило Тубиса из себя. Хотелось содрать с нее весь ее рационализм и увидеть живую, трепещущую, страдающую душу.

— Лиза, — позвал Сан Саныч.

Она повернула голову, вперив в него ничего не выражающий взгляд.

— У меня есть для тебя подарок. — Тубис поднялся и медленно подошел к дивану. Достал что-то из кармана брюк и протянул на открытой ладони. Это был небольшой блестящий кулон на тонкой цепочке. Черная жемчужина, наполовину застрявшая в серебряном кубе, на гранях которого играли абстрактные узоры. Дизайн украшения Сан Саныч разработал сам много лет назад, когда впервые влюбился.

Был канун Нового года, и он надеялся, что возлюбленная обрадуется праздничному сюрпризу. Но Тамара не обрадовалась — ни подарку, ни наряженной елке, ни сервированному столу. Тубис не показал вида, как ранило его ее пренебрежение. Он искренне старался, отыскал лучшую в городе ювелирную мастерскую, заплатил приличную сумму, чтобы создать оригинальное украшение, достойное Тамары. Но та не оценила. Невежественная, неблагодарная дура. После ее смерти Сан Саныч положил кулон в маленькую бархатную коробочку и больше никогда не открывал ее. У него было много невест, но ни с одной не хотелось поделиться столь важной частью своего прошлого.

ЧЕЛОВЕК БЕЗ СЕРДЦА

Лиза долго смотрела на кулон — вытянутая рука Тубиса начала подрагивать от напряжения. Он даже подумал, уж не спит ли его жертва с открытыми глазами. Ей определенно удавалось его нервировать.

— Красиво, — наконец сказала Лиза, взяв кулон двумя пальцами. — Поможешь надеть?

Тубис видел, что она лжет. Ей было совершенно все равно. Он застегнул цепочку на тонкой шее, залюбовавшись контрастом черного перламутра и бледной кожи.

— С покойницы снял?

— Что?

— Этот кулон. — Ее сухие губы тронула усмешка. — Он переходит из рук в руки, как эстафетная палочка? А когда ты убиваешь очередную жертву, снимаешь его, чтобы отдать следующей?

Тубис еле сдержался, чтобы не ударить пленницу по лицу. Это была странная партия. У него удачная позиция, перевес в развитии и численное превосходство, однако он медленно, но неуклонно проигрывает. Следует предпринять форсированный маневр, чтобы изменить ход игры.

— Хочешь погулять?

Лиза недоверчиво сузила глаза:

— Погулять где?

— На свежем воздухе, — бесхитростно ответил он. — Сегодня теплая ночь.

— Ты меня ни разу не выпускал на улицу. С чего вдруг такая милость? — Голос пленницы звучал почти равнодушно, однако расширившиеся зрачки выдавали волнение.

«Уже прикидывает варианты побега», — с восторгом подумал Тубис, а вслух произнес:

— Мне хочется сделать тебе что-нибудь приятное. Принесу твои вещи.

Перед тем как вывести Лизу во двор, он сковал ей руки за спиной, завязал глаза и заклеил рот скотчем. Поселок уже спал, ни в одном из окон близлежащих домов не горел свет. Анька вылезла из конуры и отрывисто гавкнула.

— Тише ты, — урезонил ее хозяин. — Жди. Я скоро вернусь.

За те несколько секунд, пока Лизу вели от дома к машине, она едва не потеряла сознание. Кровь стучала в висках с такой силой, что казалось, разорвет голову. Свежий воздух пьянил, подкашивались ноги, и хотя Лиза ничего не видела, кожей ощущала окружавший ее простор. Она так долго находилась в тесном душном подвале, что сейчас едва справлялась с грандиозностью открытого пространства. Господи, как же хорошо. Как же свободно! Хотелось застыть на месте и дышать, дышать, наполняя легкие запахом сырой земли и молодых листьев... И ни о чем не думать. Только бы ни о чем не думать!

Сильные руки нагнули ее голову и толкнули вперед. Лиза неловко упала на пассажирское сиденье и тут же выпрямилась. Ее собирались куда-то везти. Ничего хорошего это не предвещало. В последнее время любые изменения в ее жизни случались исключительно к худшему.

Тубис сел за руль, повернул ключ зажигания и плавно тронулся, выруливая к лесополосе. Неподалеку пролегала пустынная трасса, шанс встретить случайного свидетеля сводился к нулю, и все-таки похититель рисковал. От легкого волнения покалывало подушечки пальцев. На ухабистой проселочной дороге машина качалась и подпрыгивала.

— Планируешь меня прирезать и закопать? — тихий голос вывел его из задумчивости. Тубис мельком глянул на спутницу и улыбнулся тому, что она умудрилась отклеить скотч.

— Нет. Я планирую доказать тебе свою любовь. — Он отодрал болтавшийся кусок скотча и стянул с ее глаз повязку.

Лиза с тревогой вгляделась в темноту за окном.

— Куда мы едем?

— Ты сегодня на удивление любопытна. — Тубис свернул на обочину и остановился. — Мы уже приехали.

Он вышел из машины и помог выбраться Лизе. Снял с нее наручники. Она машинально поправила упавшую на глаза челку и обессиленно оперлась о капот. Даже со свободными руками она не могла тягаться со здоровенным мужиком. Бежать глупо, он догонит ее в два счета. Оставалось только ждать и надеяться на счастливый случай. Лиза осмотрелась по сторонам: как назло, ни одного приличного камня поблизости. А мелкой щебенкой голову не размозжишь.

Несколько минут Сан Саныч любовался замешательством пленницы.

— Ты можешь идти. Я тебя отпускаю. Впереди по дороге, километрах в десяти, есть населенный пункт. Доберешься.

Лиза молчала, не зная, как реагировать. Ее мучитель был странным и циничным, но вполне предсказуемым, ибо всегда действовал исходя из здравого смысла. Большинство людей расценило бы его поступки как неадекватные, однако Лиза прекрасно видела в них своеобразную, но четкую логику. Он ставил необычные цели и добивался их самыми эффективными методами. Внезапное предложение маньяка противоречило всему, что пленница успела о нем понять. Ей стало по-настоящему страшно. По коже пробежал мороз. Лиза спрятала руки в рукава пальто в попытке согреться.

— Ты мне не веришь, — с улыбкой произнес Тубис. Снял очки, протер их клетчатым платком и снова надел, пристально глядя на растерянную женщину.

— С чего бы мне тебе верить? — Лиза проглотила подступивший к горлу комок. Каждый новый день ей казалось, что силы на исходе и она больше не выдержит. Но каждый день ей удавалось внушить себе, что кошмар однажды закончится. Ничто не длится вечно. Когда-нибудь душегуб допустит ошибку, и она вырвется на свободу. Возможно, это самообман, но этот самообман помогал ей не сойти с ума. Сейчас пленница впервые ощутила, что опасно близка к помешательству.

— Ты пытаешься понять мою логику? — Мучитель выдержал паузу. — В любви отсутствует логика. Иди, Лиза. Я на самом деле отпускаю тебя.

Она не двигалась с места, поэтому Тубис открыл дверь, сел в водительское кресло и завел двигатель, вынуждая ее отойти в сторону. Гравий зашуршал под колесами. Машина поехала, медленно набирая скорость, и спустя несколько секунд скрылась из виду. Какое-то время Лиза неотрывно всматривалась в сереющий горизонт, ожидая увидеть свет приближающихся фар. Но никто и не думал возвращаться. Дорога была темна. Лизу стошнило.

Это не может быть правдой. Слишком просто. В жизни так не бывает. Ни один убийца, если он не полный идиот, добровольно не отпустит жертву. А ее похититель был кем угодно, только не идиотом. Лиза понимала, что происходит что-то жуткое, что-то чудовищно неправильное, но вопреки разуму ее надежда отчаянно крепла. Лиза привыкла судить по себе, на месте похитителя она бы никогда не поступила столь опрометчиво. Однако чужая душа потемки. Одному богу известно, что творится у него в мозгу. Сейчас не самый подходящий момент для психоанализа. Нужно бежать, и как можно быстрее.

Лиза огляделась: по обе стороны узкой дороги чернели густые заросли. Спустилась в овраг, рванула к лесу и мгновенно увязла в топком травянистом болотце. Вода набралась в сапоги, передвигаться стало невероятно трудно. Через пять минут безнадежного топтания на месте беглянка повернула обратно, выбралась на дорогу, вылила холодную жижу из обуви и двинулась в противоположную сторону. Здесь почва была посуше, Лиза добралась до леса довольно быстро и побрела сквозь заросли в нескольких десятках метров от дороги, готовая в любую минуту упасть на землю, схоронившись за густым частоколом деревьев.

Было трудно ориентироваться во времени, Лиза даже приблизительно не сказала бы — два часа прошло или двадцать минут с того момента, как ее освободили. Она лишь ощущала изматывающую усталость, заставлявшую ее спотыкаться и замедлять шаг. В мокрой обуви ноги замерзли, шпильки проваливались в мягкую почву и цеплялись за корни, несколько раз она падала, до крови расшибая колени. И все-таки, чем дольше она шла, тем большей уверенностью наполнялось сердце: «спасена-спасена-спасена». Невероятный, невозможный, но реальный факт. Скоро рассветет, и тогда она без опасений вернется на дорогу. А там, глядишь, и до людей рукой подать. Никогда прежде она так страстно не нуждалась в людях.

Лиза мечтала увидеть хотя бы маленький признак обитаемой местности — автобусную остановку, дорожный знак, телефонную будку, фонарь. Но вокруг были только деревья. Гребаные деревья и ничего кроме них! Что за гиблое место!

Лиза уселась на поваленный ствол и перевела дыхание. Скоро она вернется домой, обнимет Настеньку. Будет держать ее в объятиях целую вечность. Солнышко родное, настрадалась без мамочки... Отныне они всегда будут вместе. По щекам текли слезы, но Лиза не замечала их, погрузившись в приятные воспоминания о прежней жизни. Раньше она не ценила своего счастья: у нее были дом, любимый ребенок, друзья... Это казалось само собой разумеющимся. Теперь недавнее благополучие представлялось ей доброй сказкой, в которую едва ли веришь, но продолжаешь мечтать. Даже страдания по поводу Джека,

28

отвергнувшего ее чувства, казались почти желанными. Ведь в той, свободной жизни Лиза сама решала, чем наполнять свое существование. После тотальной зависимости, из которой она только что вырвалась, даже одинокое блуждание по лесу воспринималось как праздник.

Первым делом она обратится в полицию — напишет заявление, пройдет медицинское освидетельствование, составит фоторобот преступника. Она не успокоится, пока его не поймают. Будет закармливать следователя взятками, чтобы он рыл землю в поисках поганого извращенца. Когда его схватят, Лиза устроит так, чтобы он сдох, не доехав до тюрьмы. Какой-нибудь особенно мучительной смертью. Когда есть деньги, легко позволить себе нестандартную месть.

Лиза прикрыла глаза, вообразив, как буквально через несколько часов ляжет в горячую ванну и будет постепенно возвращаться в мир, где она сама принимает решения. Сходит в салон красоты, купит новую одежду, почитает новости в Интернете. Боже, как давно она была лишена элементарных вещей...

Завтра же позвонит Максу и расскажет о своих злоключениях. Пусть его помучает совесть за то, что не отыскал ее. Она бесследно исчезла, а он, поди, даже не забеспокоился. Ух и влетит ему по первое число.

Лиза улыбнулась и решительно встала, игнорируя ноющую боль во всем теле. Осталось совсем немного...

Тубис ехал за ней в сотне метров, медленно и не зажигая фар. Он хорошо различал ее силуэт, мелькавший среди деревьев. Бинокль ночного видения обошелся ему в половину зарплаты, но потраченных денег он не жалел. Несколько раз он порывался прекратить спектакль, однако заставлял себя потерпеть еще чуть-чуть. Светать начнет не раньше чем через три часа, пусть Лиза окончательно проникнется ощущением свободы. Чтобы план удался, жертва должна поверить в негаданное спасение.

Сан Саныч улыбнулся, представив, какие эмоции она испытает, вновь оказавшись в его руках. Это будет незабываемо. Часы показывали десять минут четвертого. Пожалуй, стоит переходить к эндшпилю. Тубис прибавил газу и поравнялся с возлюбленной.

О, как она бежала. И откуда столько прыти взялось в этом слабом и хрупком теле? Тубис настиг беглянку в считаные минуты. Скрутил ее и поволок к автомобилю. Лиза вырывалась и кричала, пыталась проломить ему череп крошечными кулачками. Он уложил ее на землю возле машины и отступил на два шага. Лиза подскочила на ноги и в бешенстве набросилась на него:

— Я тебя ненавижу, ублюдок! Ненавижу тебя! Ты сдохнешь, сука, слышишь? Сдохнешь, как последняя собака! Ненавижу, ненавижу!— Она хотела выцарапать мучителю глаза, но тот ловко уворачивался от ее атак.

Господи, он игрался с ней, как сытый кот с полудохлой мышью! Он и не планировал ее отпускать! Лиза кричала, и ее легкие разрывались от ярости. Она сорвала голос, но даже не заметила, что вместо криков из ее горла вылетают сдавленные надрывные хрипы. Никто никогда не издевался над ней со столь изощренной жестокостью. Лизу колотило в истерике, воздуха не хватало — она обхватила шею руками, отдирая воротник водолазки. Пальцы нащупали подаренное украшение. В диком гневе она рванула цепочку, бросила на землю и начала остервенело топтать ее, выплевывая грязные ругательства.

Тубис молча наблюдал за происходящим, ощущая растущее возбуждение. Вот такой он хотел видеть свою девочку — открытой, честной, живой. Она была так прекрасна в своем отчаянии, что хотелось немедленно зацеловать ее от макушки до пяток, стиснуть в объятиях и смеяться от счастья.

Комбинация разыграна блестяще. Шах и мат.

Победитель получает приз. Самый желанный приз в мире.

Тубис схватил Лизу, заломил ей руки за спину и повалил животом на капот.

Глава 4

∎

Рано или поздно он случается с каждым. Тот самый момент, когда всё становится ясно. Он может настигнуть тебя неожиданно и навсегда изменить твою жизнь, а может присниться, когда ты задремал перед телевизором, — и, очнувшись, ты даже не вспомнишь, что мгновение назад видел истину.

Это случилось с Глебом две недели назад в душном вагоне метро, когда он возвращался домой после тяжелого рабочего дня. Внезапное знание не разорвалось бомбой, лишив его слуха и зрения, не перевернуло привычный мир — оно тихо родилось внутри и так же тихо заполнило все его существо. Глеб не испугался, не удивился — принял знание как нечто естественное. В конечном итоге когда-то это должно было произойти.

С той минуты, когда Глеб очнулся в пустом загородном доме, не помня, ни кто он, ни где находится, минуло пять месяцев. Сперва он мучительно пытался узнать прошлое. Чувствовал себя потерянным и полагал, что единственное спасение от всепоглощающего одиночества пряталось в его воспоминаниях. Он едва не сошел с ума, стремясь разглядеть то, что скрывало его подсознание.

К счастью, Глебу хватило мудрости вовремя остановиться. Он внезапно понял, что хочет жить, и жить счастливо. А для этого нужно перестать беспокоиться о том, что невозможно исправить. Он запретил себе оглядываться назад, как бы сильно этого ни хотелось. Было трудно, чертовски трудно. Иногда требовались невероятные усилия, чтобы не размышлять о причинах амнезии; иногда казалось, что задача слишком сложна... Однако в конечном итоге Глеб справился. Неведение больше не угнетало. Он научился жить сегодняшним днем и получать от этого удовольствие. Память вернулась, когда он перестал в ней нуждаться.

Глеб вспомнил все и сразу.

Школа и начало игры. Встреча с Галей. Юркина болезнь и отчаянные поиски подходящего донора почки. Пятый круг. Убийство подружки Макса и Лизиного мужа. Муки совести. Расставание с Галей. Долгий запой. Смерть брата. Похороны. Депрессия и нежелание жить. Попытка вернуть жену. Утрата надежды и злость на весь мир. Предложение себя в качестве подопытного для эксперимента с памятью. Больничная палата и ремни на запястьях. Страх. Внимательные глаза Джека. Пробуждение в незнакомом месте. Новое имя. Красивая соседка. Заснеженный пустырь. Голубой кафель бассейна. Обнаженная женская грудь. Лезвие. Бордовая вода в ванной. Допрос в подвале. Спасение. Знакомство с Максом и Джеком. Сомнения. Недомолвки. Побег. Улыбчивая официантка. Работа на стройке. Радость. Фейерверк. Эскалатор вниз. Вагон метро. И тот самый момент, когда все стало ясно.

Это было странное ощущение. Трагические события прошлого проплывали перед глазами, оживляя боль, из-за которой Глебу расхотелось существовать. Однако теперь эта боль воспринималась не так, как прежде. Иначе. Словно Глеб не переживал ее лично, а наблюдал со стороны. Определенно, требовалось время, чтобы осмыслить произошедшее и привыкнуть к новому состоянию.

Несколько дней Глеб продолжал жить так, будто ничего не случилось. Вставал в семь утра, отжимался и качал пресс, принимал душ, завтракал и ехал на стройку, где работал до самого вечера. Покупал продукты, наскоро ужинал, перед сном выходил на получасовую прогулку, но чаще просто валялся на кровати, вновь и вновь погружаясь в недоступные прежде воспоминания.

В один из выходных дней Глеб приехал к дому, в котором они с Галей жили последние несколько лет. Квартиру он продал перед самым экспериментом. Часть денег отдал Даше, Юркиной жене, а другую половину перевел на банковский счет жены. Бывшей жены. Узнав о преступлениях, совершенных мужем и его друзьями, Галя собрала вещи и ушла из дома. Глеб тщетно пытался добиться прощения. Любимая женщина отказывалась от встреч, навсегда вычеркнув его из своей жизни. Она не желала общаться с убийцей и была права. Любой адекватный человек отреагировал бы подобным образом. Одного только Глеб не понимал: разве можно мгновенно разлюбить?

Последняя встреча с супругой неприятно поразила его. Глеб не надеялся на теплый прием. Он ожидал увидеть обиду и холод в любимых глазах. Но он не увидел ничего. Галя смотрела на него равнодушно. Словно между ними никогда не было любви. Она искренне недоумевала, чего от нее хотят. Она не испытывала чувств к постороннему мужчине, сидевшему рядом на скамейке. И это оказалось непонятнее и мучительнее всего...

Во дворе высотной многоэтажки ничего не изменилось. Разве что детскую площадку покрасили. Они с Галей давно мечтали родить ребенка. Да все не получалось. Глеб вздохнул и подошел к подъезду. Код домофона не изменился.

Консьержка открыла было рот, чтобы спросить, в какую квартиру направляется мужчина, но узнала бывшего жильца и растерянно улыбнулась. Глеб поднялся на площадку и вызвал лифт. В квартиру звонить не стал. Зачем беспокоить новых хозяев? Поднялся на один пролет и вышел на балкон, откуда открывался вид на оживленную дорогу и маленькую рощицу. Глебу нравилась эта незамысловатая панорама. Раньше он мог подолгу стоять, облокотившись на перила, и созерцать знакомый пейзаж...

Квартиру в этом доме он купил сразу после свадьбы, заняв у друзей приличную сумму. Не хотелось приводить молодую жену в съемное жилье. Спустя какое-то время пытался отдать долг, но товарищи денег не принимали: ведь Глеб воспользовался правом круга, и приятели помогли ему осуществить желаемое.

Квартирка была небольшая и с неудачной планировкой, но Галя превратила ее в уютное и стильное гнездышко. Глеб с радостью возвращался домой после работы. Жаль, что все это осталось в прошлом.

Он достал сигареты и затянулся, глядя на зеленеющие внизу деревья. Их высадили недавно, нормальным парком эта рощица станет не раньше чем через десять лет. Жители близлежащих домов полюбили это место. Вечерами по узким мощеным дорожкам прогуливалось немало народу. Впрочем, Гале больше нравился огромный парк в соседнем районе, куда она частенько наведывалась, чтобы побродить среди высоких раскидистых деревьев.

Глеб улыбнулся, в который раз удивляясь тому, что отныне воспоминания не причиняют боли. Да, грусть никуда не исчезла, и легкая тоска сжимает сердце, но острое чувство потери больше не сводит его с ума. Амнезия перекроила Глеба, сделав из него иную, усовершенствованную версию его же самого. И хотя память вернулась, прежнего человека уже не существует. А значит, и его страданий — тоже.

Глеб достал телефон и набрал номер.

— Да? — раздался в трубке приятный женский голос.

— Здравствуй, Даша.

— Здравствуйте. А кто говорит?

— Говорит Юркин брат. — Глеб усмехнулся. Вот так полгода не появляешься, и твой голос уже не узнают.

— Глеб? Это правда ты? Где ты пропадал? Я тебе столько раз звонила, но твой номер заблокирован! — Даша разволновалась. — Как ты?

— Я жив, Даш. Все нормально. Ты прости, пожалуйста, что я исчез, когда ты нуждалась в моральной поддержке. Я поступил как идиот.

Даша ответила не сразу.

— Тебе тоже пришлось несладко. Брат умер, да еще и жена бросила. Я понимаю, ты, наверное, хотел побыть в одиночестве. Но я все равно беспокоилась. Ты уезжал из города?

Он усмехнулся и стряхнул пепел с сигареты.

— Можно и так сказать. Но теперь я вернулся. Если хочешь, можем пересечься как-нибудь.

— Конечно, хочу! Давай сегодня? Приезжай ко мне.

— Хорошо, Даша. Приеду. До встречи.

Глеб положил трубку и еще долго стоял на балконе, не решаясь покинуть дом, с которым было связано много воспоминаний.

Тем же вечером навестил Дашу. Открыв дверь, она замерла, вперив в него испуганный взгляд.

— Ты чего, Дашка? Привидение увидела?

— Извини. — Девушка посторонилась, пропуская его в прихожую. — Просто я забыла, как вы с Юрой похожи. — Ее голос осекся, она обессиленно оперлась о шкаф, стараясь справиться с волнением.

ЧЕЛОВЕК БЕЗ СЕРДЦА

Несколько секунд Глеб молча смотрел на нее, а потом притянул ее к себе и принялся гладить по голове. Он не знал, что сказать. Ему тоже не хватало брата. Они были абсолютно разными по характерам. Глеб частенько выходил из себя, мог запросто повысить голос и рассвирепеть на пустом месте. Юрку же было невозможно вывести из равновесия и втянуть в конфликт. Он умел ненавязчиво уладить любую ссору, его шутки не обижали, а советы не раздражали, даже если были на то причины, Глеб не мог злиться на брата дольше пары часов. Даже когда тот умолчал об ухудшении своего состояния и загремел в больницу, не сообщив ему об этом.

Глеб помнил, как ворвался в палату, кипя от ярости. Юрка лежал, подключенный к аппарату искусственной почки, и изображал оптимизм. Тогда Глеб не сдержался, высказал братишке все, что думает об его умственных способностях. Разве не глупо строить из себя героя, когда на кону стоит твоя жизнь?

— Какого черта вы мне сразу же не позвонили? — горячился Глеб. — Я надеялся, что ты уже вырос из детского возраста! Как же я зол!

— Не ори ты, и без того голова болит. Я думал, ничего серьезного. Ты и так носишься со мной как с писаной торбой. Мне неловко от этого, понимаешь? Что я, сам не в состоянии о себе позаботиться? — оправдывался больной.

— Не в состоянии! Иначе бы не допустил нынешней ситуации!

Юрка понуро кивал, соглашаясь с его претензиями, и выглядел таким несчастным, что Глебу пришлось поумерить пыл. В конце концов, на нем лежала не меньшая вина. После расставания с женой он сорвался в запой и на полторы недели выпал из внешнего мира. Юркина жена несколько раз звонила ему, заподозрив некомпетентность врачей, но он не подходил к телефону, напиваясь от жалости к себе. Перевези он брата в другую больницу на несколько дней раньше, его удалось бы спасти...

Впрочем, бессмысленно гадать, что было бы. Судьбу не отмотаешь назад, не перепишешь заново. Иногда надо просто смириться и научиться жить в новых обстоятельствах. Глеб никогда не перестанет скучать по младшему брату, но заниматься самоедством больше не будет. Он едва не угробил себя однажды и впредь не повторит этой ошибки. Пока ты дышишь, есть шанс совершить достойные поступки. Мертвые этой возможности лишены.

Глеб осмотрелся. Квартира выглядела по-прежнему, словно хозяин не умирал вовсе. На стенах висели сделанные Юркой фотографии, на включенном компьютере красовалась выбранная им заставка, и даже на кухонном столе, в вазочке, лежали Юркины любимые конфеты. Глеб часто наведывался в гости к брату, но никогда раньше не чувствовал себя так неуютно.

Даша понимающе усмехнулась:

— Жутковато, правда? Как будто он все еще здесь. Иногда мне кажется, что Юра сейчас войдет как ни в чем не бывало. Спросит, что на ужин, поцелует меня и вернется за свой компьютер доделывать работу. Я поэтому и вещи его не прячу. Знаю, что глупо, но ничего не могу с собой поделать.

— Не глупо, Даш. Ты его любила и продолжаешь любить. Со временем все сгладится, обещаю. — Глеб помолчал. — И кстати, что на ужин?

Даша спохватилась, подскочила к холодильнику.

— Ой, прости. Я что-нибудь приготовлю.

Глеб поймал ее руку.

— Я же пошутил. Не надо ничего готовить. Я там принес кое-что, разбирай пакеты и ставь чайник. Уловила?

Даша послушно кивнула.

Они сидели на кухне, беседуя о ничего не значащих мелочах, в кружках остывал нетронутый чай, по телевизору, включенному в беззвучном режиме, передавали прогноз погоды. Синоптики обещали 15 градусов выше нуля и небольшой дождь.

— Я встречалась с Галей, — неожиданно сказала Даша и, поймав напряженный взгляд Глеба, продолжила: — Я ей позвонила сообщить о переводе тобой денег на ее счет. Она была не очень разговорчива, но все-таки спросила о моем самочувствии и выразила соболезнования по поводу смерти Юры. Наверное, мой голос звучал жалко, Галя предложила увидеться и сходить вместе на кладбище, положить цветы на Юрину могилу.

Глеб молчал, не смея просить подробностей. Даша задумчиво взяла ложечку, подержала ее и вновь положила на стол.

— Извини, я не расспрашивала ее о вашей ссоре. Меня тогда ничто не волновало, кроме собственного горя. Я все время плакала. Мы даже не поговорили толком.

— После этого вы не общались?

Девушка мотнула головой.

— Она не звонила, я тоже. Не люблю навязываться. Скажи, Глеб, у вас это серьезно? Вы решили навсегда расстаться?

— Не мы, Галя решила. — Глеб сжал пальцами переносицу и закрыл глаза. Разговор будил неприятные воспоминания, хотелось стряхнуть их, как дорожную пыль с одежды, залезть под ледяной душ и вышибить прочь любые мысли о несчастной любви.

— Мне правда жаль. — Даша нервно кусала губы, словно желая в чем-то признаться, но была не уверена, стоит ли. — И вы теперь не поддерживаете контакт?

— Сменим тему, ладно? — Глеб натянуто улыбнулся. — Впрочем, уже поздно. Пойдем, проводишь меня до порога.

В прихожей, наблюдая, как он обувается, Даша обмолвилась:

— Знаешь, когда мы виделись с Галей, я заметила...

Глеб оставил ботинок в покое и внимательно посмотрел на нее.

— Да?

Даша замялась.

— Что ты заметила? — спросил он.

— Ничего. Так, глупости всякие. Не обращай внимания. — Она взяла с тумбочки ложку для обуви и протянула гостю. — На вот.

— Спасибо. Ты уверена, что ничего не хочешь сказать?

— Уверена.

— Все в порядке?

— Все хорошо, правда. — Даша повернула замок и открыла дверь. — Не пропадай надолго.

— Не пропаду. — Глеб поцеловал ее в щеку и вышел на лестничную клетку.

После встречи с Дашей Глеб почувствовал, что окончательно вернулся. И хотя в его паспорте по-прежнему значилось чужое имя, он понимал, что Кирилл Смирнов безвозвратно исчез. И жить его жизнью, игнорируя накопленный годами опыт, будет неразумно. На работе взял расчет, немало огорчив коллег. За эти несколько месяцев к нему уже успели привыкнуть, а сварщик Семен так почти его полюбил, найдя в лице Глеба объект для беззлобных подколок. Сводились они в основном к нежеланию новенького распивать спиртное после трудового дня в компании сослуживцев. Веселый и словоохотливый Семен не уставал балагурить по этому поводу, вызывая бурный смех коллектива. Узнав об увольнении коллеги, Семен впал едва ли не в уныние.

— Андреич, может, передумаешь, а? Как же мы теперь будем без единственного трезвенника?

Чтобы скрасить горечь расставания, в последний вечер после работы Глеб купил несколько бутылок водки и напился вместе со всеми до беспамятного состояния. Весь следующий день провалялся с головной болью, мучаясь от страшного похмелья.

Решил дать себе пару недель отдыха, а потом начать подыскивать работу по специальности. И не мешало бы, кстати, возобновить походы в бассейн. Раньше он плавал как минимум дважды в неделю и сейчас остро ощущал, как стосковался по активным тренировкам. Мышцы требовали привычной нагрузки, и Глеб не собирался лишать их этого удовольствия.

Имелось у него еще одно намерение, которое он планировал осуществить в ближайшие дни, — встретиться с друзьями.

Глава 5

Макс расхаживал по квартире, размышляя над сложившийся ситуацией. Картина вырисовывалась неутешительная, если не сказать безнадежная. По факту исчезновения Гончаровой Елизаветы возбуждено уголовное дело, но уже месяц расследование не двигается с места за отсутствием каких-либо зацепок. В беседе с Максом оперативный сотрудник не сказал ничего внятного, лишь сообщил, что если в течение следующих двух месяцев пропавшая не будет найдена, ее объявят в федеральный розыск и включат во всероссийскую базу данных. Может быть, это принесет результаты.

Макс негодовал, мысленно поливая грязью всех без исключения сотрудников правоохранительных органов. Эти бездельники ни хрена не делают, только протирают штаны в кабинетах! Из участка вышел с твердым намерением нанять частного детектива. Правда, придется пораскинуть мозгами, где взять денег. На его банковском счету почти ничего не осталось. Нужно срочно придумать, как заработать, покуда не родится идея об организации нового дела.

— Ничего, старик, что-нибудь сообразишь, — подбадривал он себя, направляясь к интернату, где находилась Лизкина дочка. Настю Макс видел всего пару раз, да и то совсем крошечной. Подруга держала товарищей подальше от семьи — как и все остальные в компании. Например, Надька знала о давних друзьях мужа, но не была с ними близко знакома — точно так же, как и бывшая жена Глеба. Что до Лизкиного мужа (пусть земля ему будет пухом), так тот даже не подозревал о существовании пресловутой компании. Одному Джеку не приходилось ничего утаивать от семьи. Просто потому, что семьи он пока не завел. Родители не в счет. Они уже давно не принимали участия в судьбе взрослого сына, живя за границей. В Германии, кажется. Или в Австрии.

Так или иначе, стоя в игровой комнате интерната в ожидании Лизкиной девочки, Макс нервничал. Заведующей он представился как дальний родственник, но как отреагирует ребенок на чужого дядю? Да и вообще, какого хрена он, в принципе, сюда приперся? Пока Макс переминался с ноги на ногу, стараясь разобраться в причинах своего поступка, в игровую вошла воспитательница, ведя за руку светловолосую девочку лет пяти-шести.

— А вот и твой дядя Максим. — Женщина ободряюще погладила ребенка по плечу и легонько подтолкнула вперед. — Поздоровайся.

Девочка застыла в нерешительности, исподлобья глядя на незнакомца. У Макса дар речи пропал. Лизкина дочка совсем не походила на маму — сероглазая, румяная, пухленькая. Но взгляд... Взгляд был точно такой же — острый и изучающий, недетский.

Макс присел на корточки и улыбнулся:

— Привет, Настя. Я от твоей мамы. Она велела передать, что очень скучает и скоро обязательно заберет тебя отсюда.

Воспитательница громко вздохнула, понимая очевидную ложь, и деликатно отошла в сторону, давая им возможность пообщаться.

Минуту или две девочка молча изучала мужчину, а потом робко спросила:

— А папа?

Макс кашлянул:

— Что папа?

Девочка сделала шажочек вперед:

— Папа по мне скучает? Что он передал? Он тоже скоро придет?

Макс в замешательстве оглянулся на воспитательницу, но та сидела в кресле и демонстративно листала журнал.

— Не знаю, Настюха. Может, и придет твой папка.

Ребенок приблизился еще на пару шагов:

— Да?

— Да. Только знаешь что? Будь готова к тому, что он будет выглядеть по-другому.

Настя заинтересованно склонила головку:

— Как это?

— Так. Иногда так случается. — Макс плюнул на приличия и принялся беззастенчиво врать. В конце концов, не этим ли занимаются все взрослые? — Смотри, если твой папа наденет маску волка, он же все равно будет твоим папой, да?

— Да.

— А если он наденет маску незнакомого человека? Он ведь все равно будет твоим папой? — «Какой же бред я несу», — с отвращением подумал Макс. У него напрочь отсутствовал опыт общения с детьми; он понятия не имел, как вести себя с малышней, поэтому плел околесицу.

Девочка изумленно открыла рот и недоверчиво посмотрела на него. Неизвестно, какие мысли бродили в ее маленькой головке, но Настя вдруг рванула вперед и обвила ручонками мощную шею Макса.

Воспитательница оторвалась от журнала и снова вздохнула — на этот раз с умилением.

Максим поднял ребенка на руки и стоял так довольно долго, отчаянно соображая, что же делать. Малышка нуждалась в родном человеке и по какой-то причине решила, что незнакомый дядя отлично справится с ролью отца. Но, во-первых, без документов, подтверждающих их родство, девочку ему никто не отдаст. А во-вторых, он и сам не планировал забирать ребенка из интерната. Куда он ее приведет? К себе домой? И что он объяснит Надьке? Мол, так и так, это отпрыск моей подруги, с которой мы периодически имели секс, но поскольку она исчезла, нужно позаботиться о ее дочке? Надька, конечно, без базара согласится.

Девочка подняла личико, уставившись на Максима:

— Ты меня заберешь домой?

«Вот ведь влип! И зачем только приперся сюда, хренов идиот!»

— Нет, принцесса, пока не могу.

— Почему? — серые глазки метнули молнии.

— Трудно объяснить. Мне нужно завершить много срочных дел, понимаешь? Пока тебе лучше оставаться здесь. Тебя тут никто не обижает?

— Нет.

— Вот и хорошо. Я буду тебя навещать. Договорились?

Настя надула губы и отвернулась.

— Не обижайся, принцесса, я скоро вернусь и принесу тебе подарок. Чего бы ты хотела?

Девочка сложила ручки на груди и буркнула куда-то в сторону:

— Домой! Я хочу домой!

«Вот ведь и правда яблоко от яблони недалеко падает. Лизке тоже как взбредет что-то в голову, так переубедить ее невозможно», — Макс вздохнул и опустил малышку на пол.

Покидая стены интерната, чувствовал себя последним негодяем. Зря только потревожил ребенка. Ох, лучше бы Лизке поскорее отыскаться, иначе встанет перед ним непростая дилемма: или забыть о существовании девчонки, или оформить опекунство. Одна перспектива хуже другой. Такой выбор и врагу не пожелаешь.

Собственных детей Макс никогда не хотел, в его жизни была масса других интересов. Надька в этом вопросе занимала нейтральную позицию, равняясь на желание мужа. С супругой ему повезло. Она иногда проявляла строптивость, но в целом поддерживала решения главы семьи. И поскольку тот довольно четко обозначил свою позицию в отношении детей, Надя эту тему не поднимала.

За судьбу Лизкиной дочки Макс почему-то чувствовал ответственность. Не мог он предать подругу, оставив без поддержки ее ребенка. Он старался не допускать мысли о том, что Лизка погибла, но с каждым днем тревога усиливалась. Неизвестный мститель явно заигрался, удерживая Гончарову на протяжении столь длительного времени. Кто даст гарантию, что он выпустит ее живой? Вот дерьмо!

— Ты чего ругаешься? — Надя зашла в комнату и с беспокойством посмотрела на мужа. — Ходишь из угла в угол и материшься себе под нос. Что тебя терзает?

— До хрена всего терзает, — проворчал Макс, разозлившись на вмешательство жены. — Если ты не в курсе, мы остались без копейки, и я ломаю голову, что предпринять!

Надя приблизилась к мужу, прижалась щекой к его широкой спине и обняла за талию.

— Не изводи себя! С голоду мы не умрем. У нас квартира, машина. Обидно, что твоя фирма разорилась, но это же не конец света. — Надя ласково погладила его живот. — Ты очень умный и откроешь новый бизнес. Но это не к спеху. Вместо того чтобы убиваться, лучше бы воспользовался шансом и отдохнул в кои-то веки.

Макс сдержался, чтобы не повернуться к Наде и не прошипеть ей в лицо что-то вроде: «Ты ни хрена не знаешь о моих проблемах! Банкротство фирмы — это самая мелкая из неприятностей. Куда больше меня волнует то, что творится с моими друзьями! Джек чего-то недоговаривает и, скорее всего, скрывает истинное состояние своего здоровья. Надо будет раскрутить его врача на откровенность. Лизка неизвестно где, а ее дочка принимает меня за реинкарнацию своего папаши. Бросить ее на произвол судьбы — значит мучиться виной до конца дней. Глеб мог бы помочь, если бы не убедил Джеки выскрести из его головы все воспоминания!»

— Наверное, ты не все мне рассказываешь, — тихо произнесла Надя, целуя мужа в лопатку. — Не хочешь меня расстраивать или считаешь, что я не пойму. Но я понимаю главное: я люблю и верю в тебя.

Макс застыдился вспышки неуместного гнева. Надька золото, а не баба, а он едва не вызверился на нее, болван.

— Ты права, цыпа. — Он развернулся и поднял жену на руки. — Прорвемся. Давай на следующих выходных смотаемся на дачу, я шашлык пожарю.

Надя лукаво улыбнулась:

— Только шашлык?

Макс подмигнул:

— В первую очередь отжарю тебя. Да так, что еле ноги волочить будешь.

— Ты только грозишься. — Надя призывно откинула воротник халата, демонстрируя грудь в кружевном бюстгальтере.

Макс с удивлением уставился на жену: обычно она

так откровенно не напрашивается, предпочитая отдавать инициативу ему.

— Чего пялишься? Если занят, я позову какого-нибудь сантехника. — Надя ехидно хихикнула. — Может, он расторопнее будет.

Столь дерзкая провокация не оставила Макса равнодушным. Тем более за последние полгода Надька заметно поправилась, отчего ее грудь стала еще больше. Ему всегда нравились женщины, у которых есть за что подержаться. Лизка была единственным исключением из этого правила. Почувствовав прилив желания, он рванул в спальню, не выпуская из рук хохочущую жену.

— Я тебе сейчас устрою сантехника, зараза. Прямо как в немецких фильмах!

Спустя час, оставив утомленную Надьку дремать на кровати, Макс вышел из спальни и оделся, намереваясь погулять с собакой. Такса Джесси уже сидела у порога, недовольно суча коротенькими лапками.

— Да не забыл я про тебя, — успокоил собаку хозяин. — Будет и тебе праздник, малая.

Спускаясь по лестнице, Макс остановился на этаж ниже, возле квартиры бабы Зины. Из-за всей этой суеты он совсем забыл про старушку. Баба Зина жила одна, получала скудную пенсию и почти не видела родных, навещавших ее раз в пятилетку. Максим частенько наведывался к ней в гости, помогал деньгами.

Он достал из внутреннего кармана куртки бумажник и изучил его содержимое. Две тысячные купюры и всякая мелочь. Порылся в карманах, нашел еще пятьсот рублей. Вот уж точно, от тюрьмы да от сумы не зарекайся. Когда это у Макса при себе было меньше штуки баксов? Он вздохнул и нажал на кнопку звонка. За старой деревянной дверью послышались шаркающие шаги.

— Соколик мой! — старушка всплеснула руками и тут же расплакалась.

— Ты чего, баб Зин? — растерялся Макс. В носу предательски защипало. — А ну отставить слезы! Ты меня прости, я забегался. Исправлюсь. Вот тебе немножко денег, купишь чего-нибудь вкусного. А я завтра заскочу, посидим, поболтаем.

Растроганную старушку пришлось успокаивать не меньше четверти часа. Наконец Макс вышел из подъезда и направился во двор соседнего дома. Там имелось нечто наподобие сквера, где Джесси нравилось гадить.

На улице было тепло, но пасмурно. Хмурые тучи, постепенно заволакивающие небо, предвещали дождь. Макс сделал пару кругов вокруг многоэтажки и решил завершить прогулку. У подъезда топтался какой-то парень. Поравнявшись с ним, Макс остолбенел, не веря своим глазам.

— Я уже начинаю привыкать к такой реакции, — усмехнулся Глеб. — Рад тебя видеть, друг.

— Старик, — голос Макса дрогнул. — Это ты? То есть... Кирилл?

— Да брось, Макс. Какой, к черту, Кирилл. Амнезия кончилась. И я в полном порядке.

— Твою мать! Наконец-то! — Макс кинулся обнимать его. — Хоть одна хорошая новость за последнее время! Мне тебя не хватало, дружище! Охренеть, как

50

не хватало! Как же я счастлив, что ты вернулся! Ты давно оклемался? Почему сразу не позвонил?

— Хотел сделать сюрприз. Сначала поехал к тебе в офис, но там все закрыто. После этого двинул к тебе домой. Только я забыл номер квартиры и лазил тут, как придурок, искал, у кого спросить.

Макс хлопнул Глеба по плечу, все еще сомневаясь в реальности происходящего.

— Сюрприз тебе удался, старик! Ну как же я рад, блин! У меня до хрена новостей, и у тебя, видимо, тоже. Давай так. Я сейчас отведу псину, и мы с тобой забуримся куда-нибудь, нормально поговорим. Дома у меня Надька, сам понимаешь, при ней разговора не получится. Она не в курсе событий.

— Хорошо. Я подожду. Да не спеши ты! — крикнул Глеб вдогонку, наблюдая, с какой скоростью товарищ побежал по лестнице, держа под мышкой довольную таксу.

Глеб помнил, что согласился на эксперимент по внушению искусственной амнезии с одной целью — начать новую жизнь, свободную от мук совести и от необходимости общаться с друзьями. Еще недавно он винил их во всех своих бедах. Ведь если бы не эта чертова игра, придуманная в старших классах школы, жизнь Глеба сложилась бы иначе. Не было бы в ней ни убийств, ни расставаний, ни отчаяния. Он искренне желал больше никогда не встречаться с Максом, Джеком и Лизой. Однако пережитая амнезия заставила Глеба по-другому взглянуть на вещи.

Его никто не принуждал поддерживать инициативу друзей. В компании царила демократия, и если бы он решил выйти из игры, его бы не линчевали. Все поступки он совершал по доброй воле. Единственный, кого стоило винить за нарушенный душевный покой, — это он сам. Искать виновного на стороне гораздо легче, чем признать собственную ответственность. Глеб так долго внушал себе, что причины всех бед крылись в его друзьях, что почти забыл, сколько раз сам обращался к ним за помощью. И ни разу не получал отказа. Один тот факт, что Макс отдал свою почку Юрке, говорит о многом. Какая бы кошка между ними ни пробегала, все четверо действительно были близкими людьми. Вместе прошли через сотни препятствий и, даже будучи в ссоре, никогда не оставляли друг друга в беде. Да, их не назовешь безгрешными, они наломали дров. Глеб устал мучиться виной. Сейчас ему хотелось просто жить, радуясь каждому мгновению. А за свои грехи он однажды ответит.

Глеб понимал, что компания не будет прежней, да он и не планировал восстанавливать разрушенные отношения. У них была оригинальная команда, но она свое отыграла и больше не выйдет на поле. Их по-прежнему связывает общее прошлое, но общего будущего не предполагается. Глеб осознавал, что в большинстве случаев был сам ответственен за свое поведение, однако ж сей факт не снимал с товарищей вину за совершенные преступления. Они — все четверо — стоили друг друга. Глеб не пытался доказать себе, что лучше остальных. Он просто хотел попробовать жить иначе. Не переступая через собственные принципы. Не причиняя вред окружающим. Не тяготясь укорами совести.

ЧЕЛОВЕК БЕЗ СЕРДЦА

Нет, он не собирался возвращаться в компанию. Но и драматический разрыв разыгрывать тоже не планировал. В конце концов, ему действительно было интересно узнать накопившиеся за полгода новости. Глеб мог бы взять волю в кулак и пойти вперед, не оглядываясь. Но зачем усложнять себе задачу? Пути друзей в любом случае не сольются воедино. А удовлетворенное любопытство иногда здорово упрощает жизнь.

— Старик, ты здесь! — запыхавшийся Макс вынырнул из-за железной двери подъезда. Болотно-зеленые глаза горели лихорадочным блеском, будто он находился под действием наркотиков. — Честно сказать, я боялся, что ты снова свалишь.

Глеб засмеялся:

— За ту минуту, что ты отсутствовал, я бы далеко не ушел. Выдохни. Я вернулся насовсем.

— Тогда пошли. — Макс кивнул, указывая направление.

До ближайшего бара они шли молча, внезапно проникнувшись драматичностью момента. Начал накрапывать дождь, но двое мужчин не ускоряли шаг, погруженные каждый в свои мысли. Макс думал о том, что совместными усилиями решить проблемы будет гораздо проще. А Глеб вспоминал холодный ноябрьский день, когда они с товарищем вот так же брели по ночному городу и обсуждали предстоящий эксперимент. Макс пытался отговорить Глеба, а тот настаивал на своем, умоляя выполнить его последнюю просьбу.

Макс словно прочитал мысли друга.

— Знаешь, я ведь все сделал, как обещал. Привез тебя на другую квартиру, где ты мог пожить спокойно

53

без всевидящего ока доктора Джекила. Но наш психопат предусмотрительный, ты знаешь. Проследил за мной, и едва я свалил из хаты, доставил тебя по другому адресу. В Лизкин коттедж.

— Погоди, не торопись, — попросил Глеб. — Сейчас сядем, закажем выпить, и тогда ты расскажешь историю целиком.

И Макс рассказал, ничего не утаил, в подробностях расписав события минувших месяцев.

Засиделись они до позднего вечера, почти ничего не выпив и не съев, будто позабыв, что находятся в баре. Несколько раз официантка подходила к их столику и спрашивала, устраивают ли гостей заказанные блюда, поскольку к ним никто не притронулся. Мужчины приветливо кивали и вновь погружались в беседу, задавая друг другу бесчисленные вопросы.

Максу позвонила жена, выразила беспокойство по поводу его долгого отсутствия.

— Что, мальчику пора баиньки? — Глеб не упустил шанс подколоть товарища.

— Ее этот мальчик сегодня так ушатал, что ей, по ходу, добавки хочется, — подмигнул тот.

— Ты в своем репертуаре.

— Стараюсь, старик. А что у тебя? С супругой окончательно разошлись? Как твое душевное состояние вообще?

— Да не парься, Макс, я больше не собираюсь делать глупостей.

— Кто тебя знает. — приятель с сомнением покачал головой. — Может, вместе с памятью к тебе прежняя дурь вернулась. Так ты скажи, я за тобой присмотрю.

— Ты уже присмотрел однажды. — Глеб не сдержал улыбки.

— Вот блин, старик, ты мне это до смерти припоминать будешь? Ну, виноват я, не рассчитал, что Джеки легко обведет меня вокруг пальца.

— Кстати, по поводу Джека. Ты говорил, у него какие-то проблемы со здоровьем?

— Проблемы — это мягко сказано, — голос Макса погрустнел. — Он ослеп.

— Как ослеп?!

— Полностью. Ни хрена не видит.

Глеб недоверчиво усмехнулся:

— У тебя шутки такие идиотские, что ли?

Макс налил из графина клюквенный морс и осушил полбокала.

— Джек сидел в баре, и там, по ходу, часть стены обвалилась, я так и не понял. Осколками ему поранило глаза. Две операции уже сделали, но результаты пока нулевые.

Глеб потрясенно уставился на Макса.

— Врачи дают какие-то прогнозы?

— Я как раз завтра собирался заскочить в больницу, расспросить лечащего врача. Мне кажется, Джек шифрует истинное положение дел. Я с ним недавно разговаривал, и мне его голос здорово не понравился.

— Ни черта у вас тут новости. — Глеб покачал головой, будто до конца не веря в услышанное. — И что вы с Лизой планируете предпринять? Может, надо показать Джека другим врачам?

Макс откинулся на спинку стула и помолчал, собираясь с духом.

— Тут такое дело, старик. Это ведь не все новости.

Глеб испытующе посмотрел на приятеля. Похоже, эти трое без него не скучали и отрывались на полную катушку.

— Я тебя слушаю.

— Ты заезжал сегодня ко мне в офис, так?

— Так.

— И что ты там увидел?

— Ничего.

— Вот именно. Нет у меня больше фирмы, обанкротилась. Мне в этом кое-кто помог. — Макс выдержал паузу. — Объявился тут один таинственный мститель.

— С этого места подробнее. — Глеб пододвинул Максу рюмку с водкой, взял свою и залпом выпил.

Они покинули бар в пятом часу ночи, договорившись в десять утра встретиться возле клиники. Приехав домой и улегшись в кровать, Глеб долго смотрел в темный потолок, снова и снова воспроизводя в памяти встречу с товарищем. Макс рассказал ужасные вещи, которые с трудом укладывались в голове. Слепота Джека, похищение Лизы, мистический злодей — все это напоминало сцены из фильма, а не события реальной жизни. Однако у Глеба ни на секунду не возникало подозрения, что Макс преувеличивает размеры катастрофы. Минувший год научил Глеба быть готовым к самым неожиданным поворотам судьбы.

Уже засыпая, он подумал о том, что не испытывает к Лизе ни малейшего сочувствия. Глеб никогда не симпатизировал ей, а в последние годы почти ненавидел. Лизин эгоизм и циничность превосходили все мыслимые размеры; желая чего-то, она не останавливалась ни перед чем. Подруга заслуживала того, чтобы ее проучили. Похищение было не самым варварским наказанием. Возможно, это донесет до ее ума простую истину: на каждую силу найдется сила превосходящая. Натуру, конечно, не переделаешь, но зато она научится ее усмирять. Впрочем, Лиза из тех людей, кто отвергает любое учение, считая, что и без того идеальна. Что ж, Леди Совершенство получила по заслугам. Единственный, о ком Глеб действительно сожалел, это Макс. Друг сильно переживал по поводу сложившейся ситуации. Если кому и стоило помочь — то именно ему.

Глава 6

∎

Это было странное место. Джек приметил его пару лет назад, когда ехал из области по одной из многочисленных трасс. Стояла середина лета, солнце клонилось к закату и разливало по небу фиолетово-розовую акварель. Дорога плавно изгибалась, а потом сделала резкий поворот, открыв водителю вид на заброшенное поле. Ничего примечательного в этом поле не было; не пребывай Джек в философском настроении, не обратил бы на него никакого внимания. Однако в тот вечер не смог проехать мимо. Припарковал автомобиль на обочине и спустился вниз на желтоватый ковер: лето выдалось жарким и засушливым, на открытых пространствах трава выгорела. Этот пикантный недостаток лишь усиливал необычное очарование места. Линии электропередачи рядами пересекали поле. Тяжелые черные провода с угрюмым равнодушием нависали над одиноким путником. И казалось, это и не провода вовсе, а вырванные из плоти гигантские вены. Того и гляди, закапает вниз темная липкая кровь, запачкает желтизну травы.

Джек закрыл глаза, прислушиваясь к напряженному гулу. Там, в высоте, зловеще вибрировал ток, вызывая в теле мелкую, едва уловимую дрожь. Джеку почудилось, что у него над головой пролетают миллиарды омерзительных насекомых. Но даже иррациональный страх не заставил его открыть глаза. Он стоял, зачарованный, не в силах пошевелиться. И так прекрасно было это гипнотическое оцепенение, что хотелось послать весь мир к чертям и остаться здесь, в этом гиблом месте, навсегда.

Когда стемнело, Джек вернулся к машине и продолжил путь. С тех пор раз в три-четыре месяца обязательно приезжал на это поле, чтобы побыть в одиночестве и подумать о вечном.

Сегодня утром Джек ощутил острую, почти болезненную тягу. Он не наведывался на поле с декабря прошлого года. Последнее посещение получилось скомканным — до эксперимента оставалось два дня, Джеку не удавалось расслабиться и абстрагироваться от мыслей о предстоящем опыте. Он провел на поле двадцать бессмысленных минут и вернулся в город разочарованный и злой.

Ему было необходимо попасть туда. Как можно скорее.

Он порывисто встал, намереваясь спуститься во

двор и сесть в машину, но вспомнил, что это невозможно. Абсолютно невыполнимо. Ведь он слепой. Он не видит ничего, кроме проклятой темноты. И зрение никогда не восстановится.

Джек разразился истеричным хохотом. Он смеялся как ненормальный, корчась от спазмов в животе и не замечая выступивших на глазах слез. Он смеялся долго, неуправляемо, как не смеялся никогда прежде. Он надеялся, что этот больной смех убьет его раз и навсегда. Но смех прекратился так же неожиданно, как и начался. Джек почувствовал себя разбитым. Не осталось сил даже на то, чтобы сделать два шага до дивана, — он лег прямо на пол, по-покойницки сложив руки на груди.

Кравцов всегда считал, что обладает железной волей. Был уверен: никакие обстоятельства не сломают его; не найдется испытаний, которые он не выдержит с честью. И что же в итоге? Всего лишь тридцать дней в темноте — и герой едва ли не сходит с ума. Слабак! И как наплевать на собственную слабость! Да, он не Прометей. Он простой человек и хочет жить по-человечески.

Звонок в дверь на мгновение отвлек Джека от мрачных мыслей. Однако он не испытывал ни малейшего любопытства, кто это решил навестить его. В дверь звонили и звонили, но Иван не предпринимал попыток подняться.

В кармане брюк завибрировал мобильный и спустя минуту затих.

В прихожей послышался звук поворачиваемого в замке ключа. А затем чьи-то шаги.

ТАТЬЯНА КОГАН

«Макс сделал дубликат», — безразлично отметил про себя Джек.

— Ванька, блин! Ты что творишь? Ты жив? — Макс бросился к лежавшему на полу другу и принялся тормошить его.

— Я жив, просто отдыхаю. Не надо меня трясти, — спокойно ответил Кравцов и сел.

— Ни хрена себе отдых! Еще бы венок у изголовья положил! — буркнул Макс, с трудом переводя дыхание. — Я с тобой поседею раньше времени.

— Не переживай, я этого не увижу, — усмехнулся Джек.

— А ну кончай гнилой базар! Я смотрю, и правда тебя нельзя ни на сутки одного оставить. Сразу хренью начинаешь маяться. Хорошо, что я сделал дубликат ключа от твоей хаты, перед тем как тебя сюда перевезти. Ты уж извини, что я ворвался. Но ты не поднимал трубку, и я волновался.

— Ты не один? — прервал его тираду Джек.

Глеб, до этого тихо стоявший в дверном проеме, шагнул в комнату.

— Он не один.

— Глеб? — Джек нащупал диван и оперся на него спиной, продолжая сидеть на полу. — С возвращением!

— Спасибо. Правда, возвращение получается невеселым. — Глеб приблизился к другу и, наклонившись, неловко его обнял.

— Да, есть тут некоторые поводы для грусти, — согласился тот. — Как сам? Полагаю, больше не хочешь покидать сей бренный мир?

— Больше не хочу. Спасибо тебе. Промывка мозгов мне реально помогла.

— Обращайся.

— Да нет, пожалуй, с меня достаточно, — усмехнулся Глеб, опускаясь на пол рядом с Джеком. Было странно видеть гордого и независимого Кравцова в таком унизительно беспомощном состоянии. Приятель изображал бодрость, причем довольно убедительно, и возможно, Глеб и Макс обманулись бы, если бы не знали, как обстоят дела на самом деле. Утренний визит в больницу поверг их в шок. Столичные врачи вынесли свой приговор и пересматривать его не считали уместным.

Всю дорогу от больницы до дома Джека Макс ругался на чем свет стоит. Глеб же, наоборот, впал в сосредоточенную задумчивость, размышляя над вариантами дальнейших действий. Сначала, как и предлагал Максим, они наймут частного детектива, чтобы попытаться выйти на Лизин след. Определенная сумма у Глеба имелась — те деньги, что он снял со своего банковского счета в первые недели беспамятства. Вопрос оплаты сыщика отпадал. Дальше стояла более сложная проблема — что делать с Джеком? Нужно поискать самые респектабельные глазные клиники за границей и свозить его туда на консультацию. Если повезет, и зарубежные врачи согласятся его оперировать, надо будет прикинуть, где взять на это деньги. Предположим, можно продать машины Макса и Джека, но этого хватит разве что на первоначальный взнос.

Повисла тяжелая тишина. Макс первым прервал ее:

— Старик, не отчаивайся и не теряй надежду. Мы тебя не оставим.

— Звучит угрожающе, — сыронизировал Джек, с удивлением отмечая, что визит друзей оставляет его равнодушным. Еще пару месяцев назад психотерапевт Кравцов пришел бы в восторг, появись Глеб на пороге его квартиры. А теперь это событие воспринималось им как сухой факт — без чувств и эмоций.

Глеб рассказывал о своих приключениях, о том, что испытал, проснувшись в незнакомом месте без намека на то, кем является; Джек слушал и задавал вопросы, но в глубине души оставался безучастным. Нет, он не сдался. Не опустил руки. Он будет бороться и, может быть, даже победит... Но это будет потом. А сейчас ему хотелось тишины и отчаяния. Погрузиться в унылую тоску и всласть погоревать о своей судьбе. Иногда нужно вдоволь нахлебаться, чтобы почувствовать желание выплыть. Но похоже, товарищи не собирались оставлять его наедине со своей бедой.

— Кстати, я все у тебя уточнить хотел, — обратился Макс к Глебу, когда тот закончил рассказ. — Про ту соседку, которая едва тебя не прирезала. Ты ее обидел чем-то, что ли?

Глеб на мгновение заколебался — стоит ли говорить правду? Ольга Велецкая была частью их общего прошлого, но надо ли ворошить то, что забыто? Решил, что лучше друзьям не знать некоторых деталей. Спокойнее спать будут.

— Нет, не обидел. Просто нарвался на сумасшедшую.

— Сумасшедшая — не то слово, — хохотнул

Макс. — Она ж едва тебя не угробила! Не разбираешься ты в бабах, старик.

— Зато ты у нас знаток, — не остался в долгу Глеб. — Как, ты говоришь, твою проститутку звали? Ту, что ваши ночи любви на видео записывала? Олеся?

— Алиса, — поправил Макс, нисколько не обидевшись. — Я, по крайней мере, ее трахнул. Несколько раз. А ты так и остался неудовлетворенным.

— А ты жесток, бьешь по больному. — Глеб улыбнулся, наслаждаясь диалогом. Ему и правда не хватало этих дружеских перепалок. Каким он был идиотом, добровольно обрекая себя на одиночество! Если в жизни и есть какой-то смысл, то явно не в том, чтобы страдать. Очень жаль, что сейчас Джек повторяет его ошибку, замыкаясь в собственном горе.

— Ты сегодня что-нибудь ел? — Макс обратился к притихшему Джеку. Тот скептически покачал головой.

— Ты меня реально пугаешь. Следующий вопрос будет, сходил ли я нынче по-большому?

— Насчет второго я не сомневаюсь.

— И на том спасибо, друг. Приятно, когда в тебя верят. — Джек помолчал. — Что там слышно о Елизавете?

Наигранная веселость Макса сменилась угрюмой серьезностью.

— Пока ничего. Мы с Глебом наймем сыщика, может, он что-то разнюхает.

— Хорошая идея, — бесцветным голосом произнес Джек.

— Ага. Чем черт не шутит, вдруг он выяснит личность злобного старика.

— Злобного старика? — не понял Глеб. — Ты о ком?

— Я же тебе рассказывал про мужика, который нам подлянки строит.

— Ты не говорил, что он старик.

Макс неопределенно махнул руками:

— Ну, как старик. Лет шестьдесят ему, наверное. Не первой свежести юноша.

— А как он выглядел? — Глеб насторожился, еще толком не понимая, что именно его так взволновало.

— Да как выглядел? Нормально. Седой, в деловом костюме. Заметно, что при бабках. Запонки у него на манжетах с брюликами. Привык руководить. Но, по ходу, впечатлительный и ручки замарать боится. Приказал своему зверью меня отделать, а сам в коридорчик вышел, чтобы не видеть.

Глеб сглотнул. Это была всего лишь догадка, всего лишь необоснованное подозрение, но пульс участился, а давление подскочило. Родившаяся мысль была настолько дика и неприятна, что захотелось немедленно переключить внимание на другую тему... Ведь если догадка верна... Вот черт...

— Глеб, у тебя есть какие-то идеи? — спросил Джек.

— Пока нет, — с легкой задержкой ответил тот.

— Просто ты так громко дышишь, словно о чем-то догадался или тебе минет делают. Поскольку господин Гладко у нас гетеросексуал, я предположил первое... — ядовито заметил Иван.

Громкий хохот Макса сотряс комнату.

— Блин, старик, ты как скажешь, — проговорил он, с трудом отдышавшись. — Вы, психопаты, остроумные ребята.

— Психотерапевты, — поправил Джек.

— Один хрен.

— Надо тебе, Максим, самообразовываться. Кстати, можно тебя попросить?

— Конечно, какой базар.

— Возле телевизора книжная полка, видишь? — Джек придал голосу печальную серьезность. — Подойди к ней.

— Ну?

— Там справа, третья или четвертая по счету, книга в синей обложке. Нашел?

— Ага.

— Что там написано? Прочитай название.

— «Интегративная психотерапия расстройств аффективного спектра», — запинаясь, продекламировал Макс.

Джек мотнул головой.

— Нет, не та. Рядом есть другая синяя книга?

— Да. — Макс вытащил томик. — «Основы психотерапии».

— То, что нужно, — улыбнулся Джек. — Это тебе подарок. Читай с удовольствием.

— Вот падла, — беззлобно фыркнул товарищ, ставя книгу обратно на полку. — Могу я еще чем-то тебя порадовать?

— Принеси мне чаю, что ли...

— Это другой разговор, — обрадовался Макс и исчез на кухне.

Глеб рассеянно наблюдал за происходящим, не в состоянии избавиться от растущей тревоги. Муж Ольги идеально подходил под описание Макса. Седина, костюм, запонки, двое телохранителей... К тому же Велецкий, помнится, тоже не горел желанием присутствовать при его допросе, предоставив охранникам полную свободу. Что, если он и есть тот таинственный мститель? Здравый смысл в этом есть. Если Ольга поделилась с супругом историей об изнасиловании, он вполне обоснованно мог воспылать праведным гневом. Обладая базовой информацией, довольно просто отыскать любого человека. Похоже, Макса он нашел первым. Далее на очереди стоял Джек, однако он пострадал и без участия Велецкого. От старого паспорта Глеб избавился, а новый нигде не светил, оставаясь для преследователя невидимкой. А вот Лизе, похоже, не повезло. С каждой минутой Глеб все больше верил в то, что именно Велецкий причастен к исчезновению подруги. Но что делать с этой уверенностью?

Если поделиться с Максом своими подозрениями, тот сразу же ринется в бой, спасать принцессу. Когда дело касается Лизы, у него напрочь сносит голову. Он запросто может прикончить обоих — и Велецкого, и Ольгу. Первого за то, что навредил Лизе, а вторую за то, что поспособствовала этому. И ведь с Джеком даже не посоветуешься — не в том он сейчас состоянии. Почему самое разное дерьмо приплывает к их берегу одновременно?

Глеб с тоской подумал, что уснуть сегодня вряд ли удастся. Слишком много накопилось проблем, требующих срочного решения. Он сделал Максу знак, что пора уходить.

— Ладно, засиделись мы у тебя. — Гладко встал с

дивана. — Ты уже, наверное, на это и не надеялся, но мы отчаливаем. Завтра-послезавтра снова нагрянем. Даже не прячься.

Джек устало улыбнулся:

— Хорошо. Прятаться не буду.

— Если что-то понадобится, звони в любое время. — Макс обнял его, похлопав по спине.

Попрощавшись, друзья покинули квартиру. Выйдя из подъезда, молча остановились, испытывая похожие чувства.

— Совсем ему хреново. — Макс озвучил мысль Глеба. — Надо вызывать тяжелую артиллерию.

— Ты о чем?

— О ком.

Глеб вопросительно уставился на него.

Макс кивнул, указывая на машину:

— Пошли, по дороге расскажу.

Едва в коридоре затихли шаги, Джек снова улегся на спину, словно и не прерывался на пятичасовую встречу с друзьями. Он был благодарен им за внимание и заботу, но в данную секунду эти внимание и забота не имели никакого смысла. Джек понимал, что сам должен справиться с испытанием. Никто его не спасет, кроме него самого. Нужно заставить себя бороться. Внушить позитивный настрой. Строго следовать указаниям разума. Воспринимать себя как собственного пациента...

Джек прекрасно знал, что следует делать, — и не делал ничего. Впервые холодный рассудок психотерапевта Кравцова безнадежно проигрывал эмоциям.

Он достал мобильный и, не поднимаясь с пола, на голосовом наборе продиктовал номер службы такси.

— Здравствуйте. У меня будет не совсем стандартный заказ.

Глава 7
∎

Вода была прохладная — Глебу такая нравилась. Взявшись за бортик бассейна, он отдыхал после двухкилометрового заплыва. С непривычки мышцы гудели, а дыхание долго не выравнивалось. В лучшие времена он на такой дистанции едва бы разогрелся. Вот что значит забросить тренировки. Он решительно выдохнул и оттолкнулся от кафельной стены, отправляясь на очередной заход. Ему хотелось восстановить нормальную форму.

Глеб любил плавание. Оно успокаивало нервы и помогало привести мысли в порядок. После тренировки, намыливаясь под горячим душем, он прикидывал в уме дальнейшие действия. Подумать было о чем. Вчера они с Максом наконец наняли частного детектива, и тот пообещал докладывать немедленно, как только раздобудет какие-либо сведения о Лизе. Макс почувствовал заметное облегчение, а вот Глеб, наоборот, напрягся. И причин тому было достаточно.

Прежде всего, он не хотел спасения Лизы. Она была редкостной дрянью и впервые в жизни получала то, что заслужила. Глеб и пальцем бы не пошевелил, чтобы вызволить ее из неприятностей. Не слишком благородно, зато честно. Единственная причина, по которой Глеб решил вмешаться, — это долг перед Максом. Друг неоднократно выручал его в критических ситуациях, и, как бы ни велико было искушение забыть обо всем и начать новую жизнь, что-то внутри Глеба противилось предательству. Макс не являлся святым и совершил массу мерзких поступков, но все это перекрывалось жертвой, на которую он пошел ради Юрки. Глеб не ощущал в себе достаточно сил, чтобы бросить нуждавшегося в помощи друга. Пообещал себе, что сперва расчистит авгиевы конюшни, а потом уже пойдет восвояси.

Беспокоило Глеба еще кое-что. Если сыщик выяснит личность мстителя, то дело примет нешуточный оборот. Макс не будет ждать доказательств того, что именно Велецкий похитил Лизу. Он просто нагрянет в загородный дом и разнесет там все к чертям собачьим. Вероятно, его пристрелят прямо там же, если он не успеет первым. Перспектива малопривлекательная. Сперва стоило идентифицировать истинного виновника, а уже потом обрушивать на него гнев.

Глеб не испытывал симпатии к Велецкому, но его желание наказать насильников жены понимал. Он реагировал как нормальный любящий муж, и, честно говоря, Глеб не хотел причинять ему вред. К сожалению, никто не гарантировал, что Сергей остановится на достигнутом. Позволить ему и дальше мстить — значит подвергнуть риску себя и товарищей. Как ни крути, все плохо. Но хуже всего было то, что Глеб интуитивно чувствовал: не мог Велецкий так долго держать Лизу в плену. Хоть ты тресни, не мог. При всей его жесткости человеком он был справедливым и адекватным. По крайней мере, такой вывод напрашивался после беглого анализа его поступков.

Сильнее всех он наказал Максима — однако в живых оставил. Джека он не стал трогать, удовлетворившись его плачевным состоянием. Неизвестно, что бы Велецкий сделал с ним, Глебом, попадись он ему в руки. Скорее всего, поломал бы пару костей и остановился бы. В связи с этим нелогичным выглядело предполагаемое похищение Лизы. Слишком несоизмеримым проступку выходило наказание.

Как растолковать это Максу? Даже если тот поверит, что Велецкий не трогал Лизу, все равно захочет отыграться за разорение собственной фирмы. В этом пункте они явно расходились. Глеб оправдывал поведение Сергея Велецкого. Макс не стал бы.

Глеб повернул вентиль крана, обмотал полотенцем бедра и вышел из душевой. В раздевалке несколько подростков переодевались на тренировку, весело что-то обсуждая. Он с грустью подумал о том, что никогда не умел веселиться. Отец их бросил в раннем детстве, мать работала за двоих, но денег всегда не хватало. Глеб подрабатывал с четырнадцати лет, помогая ей. Очень не хотелось, чтобы младший брат в чем-то нуждался. Глеб беспокоился за Юрку с первого дня его рождения, чувствовал повышенную ответственность за судьбу братишки. Когда мама умерла, старшему едва исполнилось двадцать, а младшему — четырнадцать. С того момента Глеб принялся опекать Юрку с еще большим рвением, чем здорово выводил того из себя. Наверное, слишком рано примеренная роль главы семьи и мешала Глебу наслаждаться жизнью, лишив подростка присущих этому возрасту легкомысленности и задора. Но, черт побери, он никогда об этом не жалел. Он любил своего брата. И тосковал по нему. Очень тосковал.

Глеб оделся, заставив себя отвлечься от грустных мыслей. Нужно было срочно разбираться с Велецким. Хорошо, хоть проблема с Джеком будет решена не сегодня завтра. Макс хорошо придумал.

На улице светило солнце; выйдя из здания, Глеб несколько минут постоял на крыльце, жмурясь от ярких лучей. Как бы то ни было, жизнь продолжается, и чем больше препятствий на пути, тем интересней путешествие.

В такую ясную погоду на метро ехать не хотелось. Глеб перешел дорогу и двинулся по улице, намереваясь прогуляться. Отсюда добраться до дома можно за час-полтора бодрым шагом. Зазвонил мобильный. Глеб поднял трубку:

— Да?

— Привет, это Даша.

— Рад тебя слышать.

— Я тоже рада, — не слишком весело ответила она. — Как ты? Чем занимаешься?

— Все в порядке. А ты? Голос угрюмый. Что случилось? — Глеб остановился, подыскивая место, где бы присесть. Похоже, невестку что-то тревожило.

— Ничего не случилось. — Даша вздохнула. — Просто хотела тебя услышать.

— А ну говори, в чем дело. — Глеб облокотился о высокую бетонную клумбу и приготовился слушать. —

Я не припомню ни единого случая, когда бы ты мне позвонила просто потому, что хотела услышать.

Даша замялась:

— Я не уверена, стоит ли об этом...

— Надеюсь, ты понимаешь, что после такого вступления я от тебя точно не отстану? Не вынуждай меня приезжать к тебе и устраивать допрос с пристрастием.

— Я тебе не все рассказала о нашей встрече с Галей, — выдавила Даша.

Глеб крепче сжал телефон:

— Продолжай.

— Я правда не знаю, может, мне просто померещилось...

— Даша, не нервируй меня, ясно? Хватит мямлить, говори прямо.

Она откашлялась:

— Мы встретились на кладбище в начале декабря, на Гале была свободная зимняя куртка, но мне показалось... Показалось, что твоя жена беременна. Вероятно, она не хотела, чтобы я это заметила. Но я почти уверена, Глеб. У нее был животик.

Глеб поднес мобильный к другому уху:

— Повтори, пожалуйста.

— Она точно была беременна. Я не разбираюсь в сроках. Месяцев шесть приблизительно. Я хотела, чтобы ты знал. Ведь это может быть твой ребенок. Ведь может? Тогда Галя не имеет права прятать его от тебя. Это нечестно.

— Даш, прости. Я тебе перезвоню, хорошо? — Глеб отключился и до боли сжал переносицу. Он думал, их с Галей история закончилась. Сердце все еще ныло, но время лечит любые раны. Глеб верил, что однажды перестанет мучительно вздрагивать, вспоминая любимую женщину. Он больше не удерживал прошлое, собираясь жить дальше. В одну секунду все перевернулось с ног на голову. Прошлое вернулось, разрушив хлипкий порядок настоящего. Приятная майская прохлада превратилась в удушливый зной. Глеб почувствовал, что задыхается. Резко рванул воротник рубашки, оторвав две верхние пуговицы.

Галя беременна?

Они расстались в июле прошлого года. Если она забеременела незадолго до этого, то в декабре ее срок составил бы как раз около шести месяцев. Последний раз Глеб видел Галю в августе. Он подкараулил ее на детской площадке, где она сидела и смотрела на детвору. Вероятно, тогда жена уже знала, что ждет ребенка. И поэтому исчезла. Сменила номера телефонов и место жительства. Не хотела, чтобы он узнал.

Это был его ребенок. Его сын.

Глеб не предполагал. Он просто внезапно понял, что у него есть сын. Родное, крошечное продолжение его самого. Сейчас ему, наверное, месяц-два от силы... Они с Галей давно придумали имена: Андрей — для мальчика, Анюта — для девочки.

Глеб стоял, потрясенный новостью, все еще до конца не осознавая, насколько изменилась его жизнь. Он понимал: нужно куда-то идти, что-то делать, но не находил в себе сил оторваться от бетонной клумбы, удерживавшей его от падения. Наверное, он выглядел предельно растерянным — некоторые прохожие с замешательством поглядывали на него, не решаясь предложить помощь. Минуло десять минут, прежде чем Глебу удалось справиться с шоком. Он поспешно развернулся и зашагал к метро — хотелось быстрее очутиться дома и подумать над ситуацией.

Переступив порог квартиры, Глеб уже знал, что должен отыскать Галю. Даже если они никогда не будут вместе как муж и жена, он не позволит ей растить сына в одиночестве. У ребенка есть отец, и он будет принимать активное участие в его жизни. Даже если Галя всерьез решила спрятаться от бывшего супруга, она не могла замести все следы. Ее родители, друзья наверняка поддерживают с ней контакт. А значит, Глеб обязательно выяснит, где она скрывается.

С родителями Гали у него отношения были хоть и не близкие, но дружелюбные. Жили в одном городе, виделись регулярно, но не часто. Тесть и теща не стремились влезать в дела молодой семьи, за что Глеб был им благодарен. Однако захотят ли они общаться с ним после развода? Галя вряд ли поведала им истинные причины расставания, но по любой из версий виноватым выходил определенно Глеб.

Он набрал номер тещи. Она ответила не сразу.

— Елена Алексеевна, здравствуйте.

— Здравствуйте, с кем имею честь? — не узнав голос, спросила та.

— Это Глеб. Ваш зять. Я хотел... — он так и не договорил фразу, услышав в трубке короткие гудки. Позвонил снова. На этот раз безрезультатно. Похоже, дочь провела с матерью добросовестную разъяснительную работу. Что ж. Глеб знал их домашний адрес.

ЧЕЛОВЕК БЕЗ СЕРДЦА

Он звонил в дверь целую вечность. Дома явно кто-то был: посмотрел в глазок и отошел. Глеб улыбнулся, ощущая себя полным идиотом. Ломится в жилище к добропорядочным людям...

— Елена Алексеевна, пожалуйста, давайте поговорим, — произнес довольно громко, надеясь, что его услышат. — Я не прошу впускать меня, просто откройте дверь, и мы пообщаемся через цепочку.

В квартире послышалось движение, но вскоре затихло. Глеб выждал пять минут и повторил:

— Елена Алексеевна. Я же знаю, что вы дома. Пожалуйста. Мне нужно встретиться с Галей. Я знаю, что она родила ребенка.

Никто не отреагировал. Глеб снова позвонил.

— Я не в курсе, что вам рассказала дочь, но я не причиню ей вреда. Я люблю ее. И нашего ребенка. Мне нужно увидеться с ними. Елена Алексеевна!

— Прекратите орать! — из соседней квартиры донесся раздраженный окрик. — Если вы немедленно не уйдете, я вызову полицию!

Глеб уперся спиной в гладкую поверхность двери и устало прикрыл глаза. За последние трое суток он почти не спал, но только сейчас в полной мере почувствовал, как сильно вымотался. Слишком много эмоций, слишком много проблем. Нескончаемый хоровод мыслей — о Джеке, о Лизе, о Велецком, а теперь еще и о собственном ребенке... Глеб измучился, расчищая беспорядок в своей голове в попытках отыскать верные решения. Он не справлялся с обрушившимся на него объемом информации. В таком режиме долго не протянешь. Ему действительно надо отдохнуть.

Прежде чем направиться к лифту, еще раз попросил:

— Елена Алексеевна, простите за беспокойство. Я ухожу. Подумайте, пожалуйста, о моей просьбе. Я всего лишь хочу увидеть своего ребенка. Я позвоню вам завтра. До свидания.

Дома Глебу едва хватило сил, чтобы снять кроссовки. Он повалился на кровать и отключился мгновенно, едва голова коснулась подушки.

Глава 8

Ладонь горела так, будто в нее воткнули нож и медленно проворачивали лезвие. Странно, как могла небольшая ранка причинять столь нестерпимую муку. Джек погладил больную руку — бинт был влажным и пахнул спиртом. Он пошевелил пальцами и едва не вскрикнул от острой боли. Кровь пульсировала в кисти с такой силой, что казалось, прорвет кожу и брызнет наружу. Джек на ощупь добрался до ванной. Включил холодную воду и умылся здоровой рукой. Боль не уменьшилась, но гул в ушах поутих. Это ж надо было умудриться так облажаться...

Позавчера Джек вызвал такси, чтобы добраться до поля. Водитель попался понимающий и неразговорчивый, все дорогу молчал, изредка уточняя путь. Прибыв на место, помог пассажиру выйти из машины и спуститься по пологой насыпи вниз.

— Скажите, линии электропередачи находятся прямо передо мной? — спросил Джек.

— Да. В пятидесяти метрах. Вас проводить?

— Нет. Я дойду сам, спасибо. Подождите в машине, пожалуйста. Я не задержу вас надолго. Возвращайтесь за мной минут через двадцать.

— Хорошо, — меланхолично кивнул водитель, не удивляясь причуде пассажира. За годы работы таксистом ему встречались и более странные клиенты.

Дождавшись, когда он уйдет, Джек двинулся вперед — туда, где в высоте вибрировали провода. Странное чувство охватило его; он не мог идентифицировать собственные эмоции. Это была болезненная эйфория, и Джек не понимал, чего в ней больше — страдания или удовольствия.

В последний раз он приезжал сюда здоровым и полным сил. Его переполняли амбиции и вера в грандиозное будущее. Он находился в шаге от своей мечты, планировал осуществить уникальный эксперимент и не сомневался в успехе. И вот теперь он снова на этом поле — но как сильно изменился мир... Впрочем, вздор. Мир остался прежним. Изменился только Иван Кравцов. Вселенная щелкнула его по носу, превратив в слабое и никчемное существо. «Ха-ха. Прекрасное чувство юмора, спасибо, я оценил».

Теплый ветер ласково касался кожи и, должно быть, светило солнце. Джек расстегнул куртку и задрал голову вверх, представляя, что всего лишь на мгновение закрыл веки и просто наслаждается жужжанием электричества. Жизнь прекрасна, а цели дерзки и реальны. И нет препятствий.

Нет препятствий.

Он откроет глаза. Вернется к автомобилю. Сядет за руль. Вдавит в пол педаль газа. Рванет прочь, набирая скорость. Выжмет из турбированного двигателя все, на что тот способен. Он будет лететь в миллиметре над дорогой. Быстрый. Свободный. Зрячий.

Джек открыл глаза, но ничего не увидел. Его по-прежнему окружала темнота.

Какая идиотская затея — приехать на это поле! Когда перед тобою простирается целый мир — ясный и доступный, — легко придумывать сказки, выбирая необычные места и наделяя их особой магией. А между тем никакой магии не существует. И это поле — обычный участок земли, изгаженный цивилизацией. Нет в нем ни красоты, ни очарования. Ничего в нем нет!

От злости Джек отчетливо скрипнул зубами. Пора закрывать этот балаган и разгонять клоунов. Волшебства не будет. Билеты отзываются. Идите к дьяволу, дорогие детишки.

Он развернулся, чтобы направиться к дороге, но провалился ногой в неглубокую ямку и потерял равновесие. Упал на ладони и едва не закричал от резкой боли, пронзившей левую руку. Что-то острое распороло кисть и застряло в ней. Джек поднялся на ноги, кипя от гнева. Это сатанинское поле решило его достать!

Нащупал торчавший из ладони осколок, похожий на кусок камня. Вытащил его и зачем-то положил в карман. Руки стали липкими. Боль усиливалась с каждой секундой, вдобавок ко всему Джек потерял ориентир. Он понятия не имел, в какой стороне находится автотрасса!

О, как же искренне и глубоко он ненавидел сейчас этот мир — такой большой и такой равнодушный...

Джека трясло от злости, боль поползла к локтю, добралась до плеча и застряла в районе лопатки. Нужно срочно что-то менять. Дальше так не может продолжаться. Он приблизился к опасной грани, переступив которую уже не выберешься самостоятельно.

Кравцов заставил себя сделать несколько глубоких вдохов и тут услышал:

— Простите, что вмешиваюсь. Я заметил, что вы упали и поранились. Вы здесь закончили? — таксист говорил тихо и почти равнодушно. Его безучастный голос подействовал на Джека успокаивающе.

— Да, я закончил. Вас не затруднит довезти меня до травмопункта?

— Вы платите. Мне совершенно неважно, куда вас везти.

Минувшие два дня рука болела не переставая, однако таблетки Джек не пил принципиально. Боль держала его в тонусе, стимулировала мыслительный процесс. Впрочем, мысли рождались одна печальнее другой. Джек понимал, что нужно не зацикливаться на проблеме, а сосредоточиться на поиске решений. Однако проблема казалась такой грандиозной, и с каждой минутой она лишь ширилась и набирала массу, высасывала все душевные силы.

Психотерапевт Кравцов никогда не страдал от одиночества. Не скучал в компании самого себя. Мог подолгу предаваться размышлениям, укрывшись в уединенном месте и не ощущая дискомфорта от нехватки общения. Даже находясь в толпе, умел абстрагироваться от окружающей суеты и просто наблюдать, наслаждаясь собственной автономностью.

Впервые одиночество не приносило удовольствия. Джек чувствовал себя покинутым и забытым, и это гнетущее ощущение усиливалось в геометрической прогрессии.

Да, у него есть родные и близкие, а друзья постоянно напоминали о себе, но что они знают об его истинных эмоциях? Они могут только предполагать, как ему нелегко, но они видят! Видят! А значит, находятся по ту сторону. Нелепо требовать от них понимания. Сытый голодного не разумеет.

С того момента, когда Джек попал больницу с ранением глаз, он неоднократно воспроизводил в памяти события злополучного дня, удивляясь парадоксальности жизни. Он приехал в любимый бар пропустить стаканчик бренди и сел у стойки, поскольку его столик был занят. Вскоре место освободилось (не без усилий с его стороны), и Джек перебрался в мягкое кресло у стены с огромной фреской, на которую он постоянно заглядывался. Кравцову нравилась эта мрачная атмосферная картина, много раз он предпринимал попытки выяснить имя автора, но тщетно. Загадочная фреска не раскрывала свою тайну. Она баловала преданного почитателя угрюмой красотой, а потом уничтожила его. Проклятая фреска, чью копию Джек мечтал приобрести, разрушила всю его жизнь! Какой удивительный фарс!

Почему-то вспомнилась Елизавета. Вероятно, она испытывала нечто подобное, когда осознала, что влюбилась в старого приятеля. Будто собственная судьба предала тебя, выдернув родной и привычный элемент твоей Вселенной и превратив его в нечто чужое и враждебное. И ты в растерянности взираешь на то, как некогда знакомое и понятное теперь разрушает тебя пядь за пядью. Джек сочувствовал Елизавете. Но даже сейчас, когда ее страдания воспринимались им более чутко, не смог бы ответить взаимностью. Это заблуждение, что чувствам нельзя приказать. Еще как можно. При желании реально внушить себе и легкую влюбленность и пылкую страсть, но желания у него не было. Человек — предельно циничное животное. Джек мог осчастливить как минимум одно существо на планете, однако же «не имел желания». И наплевать, что кому-то от этого больно.

Фреске на стене бара тоже было наплевать. Она рухнула и погребла под руинами одну человеческую жизнь.

Джек поморщился: желудок свело от голода. Сколько он уже не ел? Два дня? Три? Было невозможно запихнуть в себя пищу, сразу же хотелось вырвать. «Нужно выпить хотя бы чай с сахаром», — устало подумал он и пошел на кухню. Набрал воды, включил электрический чайник и сел, упершись локтями в стол и спрятав лицо в ладонях.

Обычно человек начинает ценить то, что имел, когда лишается этого. В данном контексте утрата предстает закономерным уроком, толчком к самосовершенствованию. Но Джек был из той редкой породы людей, кто никогда не жалуется на судьбу, испытывая благодарность за возможность жить так, как им нравится. Его все устраивало. Он ценил здоровье, силу и ум и не понимал, зачем понадобился сей жестокий урок. В чем смысл? Вряд ли он поймет больше, чем уже понял. Разум услужливо подкидывал ответ. И этот ответ был страшнее, чем сама слепота. ***В случившемся нет никакого смысла.*** Обычное стечение обстоятельств. Просто не повезло.

Что ж, все когда-нибудь случается в первый раз. Джеку всегда сопутствовала удача. Он родился в интеллигентной семье. Его не ругали, не наказывали. У него были хорошие игрушки. К семи годам он свободно говорил на двух языках — русском и немецком. Одноклассники не притесняли Ваню, педагоги любили. В последних классах школы у него появилось трое настоящих друзей. Поступил в институт с первого раза без чьей-либо помощи. С первого курса стал жить отдельно от родителей. Иван Кравцов занимался любимым делом, в меру работал и в меру развлекался. Ему было где жить и на чем ездить. Он нравился людям. Жизнь складывалась наилучшим образом.

Все закончилось в один миг.

Это неправильно! Неправильно...

Чайник давно остыл, а Джек по-прежнему сидел за столом, раздавленный и обессиленный. Он осознавал, что никогда не согласится с приговором врачей, сколько бы обоснований те ни приводили. В конечном итоге прав оказывается тот, кто не сдается. Здравый смысл не в том, чтобы примириться с реальностью, а в том, чтобы эту самую реальность изменить в соответствии со своими нуждами. Вопреки бунтующему рационализму. По вере вашей воздастся вам.

Но откуда взять веру? Откуда взять веру, когда все твое существо бунтует против несправедливой кары?

ЧЕЛОВЕК БЕЗ СЕРДЦА

Когда сознание вопит, что есть силы, превосходящие твои собственные.

Джек не знал, что делать дальше. Он хотел вернуть зрение. Во что бы то ни стало. Но он не верил в чудо и не чувствовал в себе достаточно сил, чтобы победить. Было страшно. По-настоящему страшно. Джек нащупал в кармане осколок и осторожно провел по острому краю. Теперь Иван понимал, почему не выкинул его: хотел сохранить напоминание о мгновении наивысшей слабости. Откровенный акт незамутненного мазохизма...

В квартиру позвонили. Джек машинально встал, подошел к двери и повернул замок. И только потом спохватился, что поступил опрометчиво, не спросив, кто там.

Гость не спешил заходить в прихожую. Стоял на пороге и молча разглядывал хозяина. Джек чувствовал на себе чей-то взгляд, но упрямо не раскрывал рта. Мелькнула мысль: уж не загадочный ли мститель явился снова позлорадствовать? Немая сцена длилась минуту.

— Здравствуй, Иван! — наконец не выдержал невидимый гость. — Разрешишь войти?

Ноги подломились. Джек прислонился к косяку, ощущая, как стремительно улетучивается недавняя воинственность, превращая его в маленького мальчика. Мальчика, который мечтал о независимости, но которому предстояло еще очень многому научиться.

— Пап? Ты приехал?

— К счастью, один из твоих друзей оказался умнее тебя и додумался позвонить мне. Неужели ты всерьез намеревался скрыть от меня случившееся? Я не узнаю тебя, сын. Я полагал, что ты давно повзрослел.

— Прости. Я не хотел вас с матерью огорчать.

— Насчет матери согласен — незачем ее лишний раз волновать. Но мне-то ты мог сообщить? — Сергей Иванович Кравцов вошел в коридор, снял легкое пальто из английской шерсти и кашемировый шарф и повесил на вешалку. — Ладно. Поговорим об этом позже. Что с рукой?

— Ничего серьезного, — Джек улыбнулся. На долю секунды — на одну короткую долю — все стало простым и понятным, а ситуация утратила драматичность. Был на земле лишь один человек, которому Джек доверял больше, чем себе самому. И этот человек стоял сейчас перед ним.

Сергей Иванович обнял сына и огляделся:

— Сделал ремонт? Недурно.

— Ремонт уже не новый. Просто ты давно не приезжал.

— Что верно, то верно, — согласился отец, следя за тем, чтобы голос не звучал чрезмерно напряженно. Известие о несчастье, постигшем сына, повергло его в недоумение. У них в семье не водилось секретов, с раннего детства Иван воспитывался в либеральной обстановке. Родители принимали его право на самостоятельные решения, однако сын не чурался обсуждать проблемы и просить советы. Сергей Иванович не сомневался в здравомыслии своего сына и знал: если возникнет сложная ситуация, тот обратится за помощью. Тем более неожиданным стало молчание Ивана о потере зрения.

ЧЕЛОВЕК БЕЗ СЕРДЦА

Максим позвонил два дня назад и вкратце обрисовал положение. Сергей Иванович вылетел из Мюнхена на следующий день, предварительно побывав в лучшей офтальмологической клинике и договорившись с врачами о консультации. Кроме того, пришлось сделать несколько важных звонков в Москву бывшим коллегам.

Последние тридцать лет жизнь Сергея Ивановича и его семьи протекала между Россией, Германией и Австрией. Кравцов-старший служил военным атташе при российском консульстве, поэтому ребенок жил на три страны. В начале девяностых на несколько лет семья вернулась в Москву — родители хотели, чтобы последние классы школы сын отучился на родине. Когда Иван поступил в медицинский институт, отец и мать уехали в Германию, предоставив сыну полную самостоятельность. С тех пор пару раз в год Иван наведывался к родителям, проводя у них летние каникулы, а затем и отпуск, всегда имея в наличии действующую долгосрочную шенгенскую визу. В Москву мать и отец приезжали редко — говорили, что отвыкли от дикой российской действительности.

После выхода на пенсию Сергей Иванович занялся бизнесом и весьма преуспел: помогла дипломатическая закалка. Не единожды звал сына переехать в Германию, впрочем, не особенно настаивая. Он одобрял выбранную Иваном специальность и уважал его профессиональные навыки. Если сыну нравилось делать карьеру в России, значит, так ему лучше. За будущее Ивана он не переживал. Покуда не услышал чудовищное известие. И от кого? От чужого фактически человека.

Максим встретил Кравцова-старшего ранним утром в аэропорту Домодедово и первым делом повез в клинику, где тот переговорил с заместителем главврача. Пожилой суетливый мужчина немного нервничал (не каждый день получаешь запрос из департамента здравоохранения Москвы), но отвечал на вопросы кратко и по существу, предоставив исчерпывающую информацию о лечении Кравцова-младшего. Получив копии медицинской карты и результатов обследований, Сергей Иванович покинул клинику. Затем подробно расспросил Максима о произошедшем, поинтересовался душевным состоянием сына и, поблагодарив его друга за содействие, отправился к Ивану. И хотя Сергей Иванович морально подготовился к встрече, все равно разволновался, поймав невидящий взгляд своего ребенка. Отцу понадобилось несколько долгих секунд, чтобы вернуть хладнокровие. Излишние эмоции только вредят. В критические моменты нужны спокойствие и трезвый ум.

— Кто тебе наябедничал? Максим? — спросил Джек, садясь на диван. — Как он тебя нашел?

— Сказал, что переписал контакты из твоего телефона, пока ты валялся в больнице.

— Я так и понял, — усмехнулся Джек. Он не только не злился на товарища, а пожалуй, был ему признателен. Не то чтобы Иван Кравцов стеснялся обратиться за помощью к родителям. Просто не считал это необходимым. Он ведь не серого вещества лишился, а зрения. А значит, и сам бы справился. По крайней мере, ему хотелось так считать. Однако сейчас, в присутствии отца, Джек отдавал себе отчет в том, какое облегчение испытывает... Он внушал себе, что должен быть стойким, изображал сильную личность, но при этом нуждался в поддержке. Нуждался отчаянно. Впервые за последние недели Джек почувствовал, что напряжение покидает его.

— Где у тебя шкаф? В спальне? Я соберу твои вещи. Вечером мы вылетаем в Мюнхен. Тебя уже ждут в клинике Карла Теодора.

Поскольку Иван молчал, Сергей Иванович достал чемодан, проверил молнии (все работало) и направился в спальню, чтобы упаковать необходимое для поездки.

— Пап, — голос Джека дрогнул.

Сергей Иванович остановился в проеме двери и обернулся:

— Да?

— Спасибо...

— Поблагодаришь позже, глядя мне в глаза. — Он заволок чемодан в спальню, оставил его у шкафа и поспешно открыл окно, впуская в комнату прохладный воздух.

Кравцов-старший никогда не жаловался на здоровье, поддерживал себя в отличной физической форме и сейчас, в возрасте пятидесяти шести лет, мог дать фору любому тридцатилетнему. Чего греха таить, на него до сих пор заглядывались юные создания, очаровываясь по-мужскому ладной фигурой, гордой осанкой и благородной сединой на висках. Случалось, Сергей Иванович поддавался на незамысловатый прелестный флирт и разрешал себе пару-тройку страстных ночей в компании нежных фройляйн. Наверстывал упущенное за годы службы в разведке, когда отказывался от любой слабости, дабы не скомпрометировать себя. Бывали в его жизни моменты крайнего напряжения, когда приходилось работать на износ, без возможности нормально отдохнуть. Но даже тогда его организм не проявлял недовольства.

Стоя в спальне родного сына, опираясь о подоконник кулаками, Сергей Иванович впервые почувствовал собственное сердце, каждый удар которого отзывался ноющей болью в груди. Он сделал несколько глубоких вдохов и выдохов, пытаясь расслабиться, и решительно распахнул створки шкафа.

Едва со сборами было покончено, приехал Макс.

— Карета у подъезда, можно двигать в аэропорт. Лучше выехать пораньше, пока нет пробок, — сообщил он, пожимая руку друга. — Готов к полету?

— Скажем так: меня подготовили, — улыбнулся Джек.

— Я не сомневаюсь. Папаня у тебя крутой, — хохотнул Макс. — Ты бы видел, как перед ним персонал больницы на цырлах ходил. А медсестрички так вообще плыли.

— Не сочиняйте, Максим. — Сергей Иванович сдержанно улыбнулся, проверяя паспорта и билеты.

— Да какое там сочиняй? Мне бы у вас пару уроков взять, как охмурять женщин, даже не открывая рта.

— Не припоминаю, чтобы у тебя с этим были проблемы, — заметил Джек.

ЧЕЛОВЕК БЕЗ СЕРДЦА

Товарищ пожал плечами:

— Проблем, может, и нет, но изящества, старик, изящества не хватает!

Перекинувшись еще несколькими фразами, мужчины спустились на улицу. Погрузили чемодан в багажник и сели в машину. Всю дорогу до аэропорта Макс расспрашивал Сергея Ивановича о заграничном житье-бытье, с неподдельным интересом слушая его рассказы, а Джек молчал, погрузившись в дремотное оцепенение. Так случается, когда устанешь настолько сильно, что кажется, заснешь на ходу, но улегшись в постель, мучаешься бессонницей. И в мышцах — гудящая тяжесть, в голове — вибрирующая пустота, а в сердце — тревожная легкость.

Джек позволил себе отключиться. Хотя бы на одни сутки перестать думать. Пусть за него подумает кто-то другой. Он слишком долго висел на краю пропасти, держа самого себя за руку, чтобы окончательно не сорваться. Он чувствовал себя сразу двумя людьми — тем, кто нуждается в спасении, и тем, кто пытается спасти. Сегодня Джек почувствовал, что его запястье обхватила другая рука. И не было сомнений в ее силе. Эта ладонь гладила горячий лоб, когда пятилетний Ванюша валялся с температурой. Эта ладонь поднимала с асфальта, когда семилетний Ванечка падал с велосипеда и разбивал коленки. Эта ладонь поощряюще сжимала плечо, когда пятнадцатилетний Ваня говорил, что станет врачом. И сейчас эта же ладонь вытягивала тридцатитрехлетнего Ивана из темноты.

В аэропорту Максим проводил Кравцовых до стойки регистрации бизнес-класса. Когда предполетные формальности были завершены, пожелал им счастливого полета и обратился к Джеку:

— Возвращайся зрячим, старик. Мы тебя ждем. Тут, между прочим, до хренища проблем надо решать. Дополнительные рабочие руки не помешают.

Уже сидя в самолете и слушая монолог стюарда о безопасности на борту, Джек вдруг осознал, что его левая рука, которую он поранил на поле, больше не болит.

Глава 9

Ночь была темна и свежа. В небе висел тоненький месяц, молодая листва чуть слышно трепетала от легкого ветра, а где-то в зарослях надрывалась птичка. Сначала Сан Саныч подумал, что это соловей. Но голос соловья исполнен изумительной чистоты и мощи, а эта птаха пела тихо и невнятно, перемежая трель трескучим щебетом.

Тубис шагал по широкой тропинке, огибающей поселок со стороны леса. Анька бежала рядом, изредка исчезая в кустах, чтобы обнюхать заинтересовавший ее объект. Сан Саныч не спешил возвращаться домой: Лизу сегодня в любом случае беспокоить нельзя. Намедни он сильно переусердствовал в проявлении чувств. Бог знает, как ей удавалось так действовать на него. Он заводился от одного взгляда на невесту. Ах, как она была прекрасна в ту ночь, когда поверила в возможность свободы. Как отчаянно бежала, надеясь на скорое спасение. Как свирепо отбивалась, удостоверившись в обмане. Какой лютой ненавистью горели ее черные глаза! Никогда прежде возлюбленная не была столь искренна и столь беззащитна. Давно он не получал такого удовольствия от успешно разыгранной партии. Это была блестящая победа.

Сан Саныч посмотрел на часы — шел первый час ночи. Пора возвращаться домой и хорошенько выспаться. Завтра он планировал пораньше приехать на работу, чтобы поскорее вернуться к невесте — не хотел надолго оставлять ее одну. В последние пару дней она неважно себя чувствовала. Во-первых, из-за чрезмерного стресса. А во-вторых, из-за того, что кое-кто не в состоянии обуздать свои инстинкты. Тубис пообещал себе, что всю неделю будет с Лизой предельно нежен. Пусть девочка восстановится.

Перед тем как лечь в постель, наведался в подвал. Спустился по лестнице, стараясь не шуметь. Лиза лежала на диване, спрятавшись в спутанную простыню, — лишь острая белая коленка торчала наружу. Тубис осторожно отодвинул простыню с лица — Лиза спала. Челка прилипла к ее влажному лбу, прокушенные губы были плотно сжаты. Он прикоснулся к щеке — горячая. Похоже, у Лизы поднялась температура. Не очень хороший знак. Болеть она не должна. Надо будет завтра купить жаропонижающие таблетки. И витамины. Совсем любимая расклеилась. Тубис наклонился и невесомо поцеловал ее в мокрый висок.

Следующий день выдался напряженным — на работе был аврал, Сан Саныч провел несколько удачных сделок и подписал два важных договора о сотрудничестве. Полноценно пообедать времени не имелось; купил в буфете на первом этаже яблочный сок и бутерброд с сыром и поднялся в свой кабинет. У его стола стояла Олеся, сотрудница бухгалтерии, привлекательная барышня лет двадцати трех.

— Тяжела работа у менеджера по продажам? Даже покушать некогда? — Олеся улыбнулась, тряхнув пышной копной каштановых волос. Узкая юбка обтягивала плавные контуры ее бедер, а приталенный пиджак подчеркивал стройность фигуры. Вот уже несколько месяцев Олеся оказывает Тубису недвусмысленные знаки внимания и не понимает, почему тот остается холодным. Вон, финансовый директор спит и видит, как бы затащить ее в постель. И сисадмин тоже неоднократно приглашал ее отужинать. Парень, между прочим, весьма недурен, и язык у него подвешен. Раньше Олеся не задумываясь закрутила бы роман с обоими, покуда не взвесила все «за» и «против» и не выбрала достойнейшего. Но в последнее время ее мысли занимал лишь один мужчина — ведущий менеджер по продажам, не обращавший на нее никакого внимания. Это было странно.

Олеся знала, что красива. Кроме того, она стильно одевалась и умела поддержать беседу. Не было веских оснований, чтобы не пофлиртовать с нею. Она допускала, что может кому-то не нравиться (эта мысль давалась ей с большим трудом), но по большому счету нормальный мужик не откажется от рыбки, плывущей в руки. Сан Саныч не удостаивал ее даже намеком на внимание. Таким же равнодушным взглядом он смотрел на предметы мебели. Подобная несправедливость обижала ее и злила, усиливая желание соблазнить его. Он словно бросал ей вызов, и она с легкостью откликалась. Такого сценария Олеся еще не проходила. Тем острее хотелось прочитать его до последней строчки.

Самое удивительное, что выдающейся внешностью Тубис не отличался. Выглядел если не серо, то довольно посредственно. И еще эти нелепые очки в толстой оправе... Их хотелось снять и поцеловать жестокие близорукие глаза... Тубис не был красив, и фигура его не отличалась спортивным рельефом. Однако ж чувствовалась в нем недюжинная физическая сила. Заглядываясь на его широкие плечи и крепкие руки, Олеся думала о том, как приятны, должно быть, его объятия.

Сегодня утром желание близости достигло предела, и она решительно направилась в кабинет Тубиса. Не застав его на месте, решила подождать. Раз намеков он не понимает, она скажет прямым текстом.

— Тяжела работа у менеджера по продажам? Даже покушать некогда?

— Раз на раз не приходится, — ответил Сан Саныч и положил бутерброд и пакетик сока на стол. — Чем-то могу вам помочь?

— Да. — Олеся кивнула и снова улыбнулась.

— Я вас слушаю. — он выдвинул кресло, вынуждая ее посторониться, и сел.

Олеся с ужасом поняла, что вся ее решимость улетучилась. Тубис был таким неприступным, таким холодным, что казалось, прикоснись к нему — и обморозишь пальцы. Да что ж за напасть такая!

— Я вас слушаю, — повторил Тубис, открывая в компьютере нужный файл.

Олеся на миг зажмурилась и тут же распахнула глаза, бросаясь в отчаянное наступление:

— Я хотела пригласить вас сегодня вечером в ресторан.

Он оторвал взгляд от экрана и недоуменно уставился на нее:

— Зачем?

— Поужинать, — брякнула Олеся, проклиная себя за тупость.

— Я ужинаю дома, спасибо.

— Значит, поговорить. — от волнения она хрустнула пальцами и залилась краской.

Сан Саныч подавил зевок. Сегодня надо лечь до полуночи, чтобы по-человечески выспаться. После работы не забыть заехать в аптеку и купить Лизе лекарства.

— Мы с вами уже говорим. Вы хотите сказать что-то конкретное?

Олеся закусила губу, чувствуя, как от обиды комок подступает к горлу. Этот козел над ней издевается или действительно ничего не понимает?

— Я много чего хочу сказать, — дрожащим голосом пролепетала она. — Да вы вряд ли поймете. Хорошего вам дня!

Когда девушка выбежала из кабинета, Сан Саныч позволил себе выдохнуть. Вот ведь навязалась на его голову! Бедные дети, влюбляются в кого попало, а потом страдают. Олеся была милой девочкой, но слишком уж открытой — вся как на ладони. Ни загадки в ней, ни надлома. Такие ему не нравились. Да и женская инициатива его, как охотника, только отталкивала. То ли дело Лиза. Огонь. Приблизишься без защиты — сгоришь мгновенно, даже пепла не останется. Повезло ему с невестой. Такая одна на миллион попадается.

Пока Тубис предавался думам о своей пленнице, другая его жертва — хоть и добровольная — заперлась в кабинке туалета, чтобы никто из коллег не увидел ее слез. Олеся тихо всхлипывала, аккуратно вытирая уголки глаз, чтобы не размазать тушь. Впереди еще полдня в офисе, а она не взяла с собой косметичку. Так что вволю порыдать не получится — нечем будет запудрить покрасневший нос и подкорректировать поплывший макияж.

Олеся догадывалась, что просто не привлекает Тубиса. Но разум упрямо отказывался признавать очевидное. Всякое бывает в жизни. Ни в чем нельзя быть уверенной на сто процентов. А вдруг причина внешней холодности Тубиса не в отсутствии симпатии, а, наоборот, в ее наличии? Александр Александрович взрослый мужчина, успешный в профессии, и логично, что он опасается заводить служебный роман. Мало ли как отразится внутрикорпоративная интрижка на карьере. Он просто не уверен в адекватности Олеси. В таком случае нужно его убедить, что она не глупый ребенок и умеет держать язык за зубами. Она согласна хранить в тайне их отношения и соблюдать дистанцию на работе. Лишь бы вечерами они оставались одни и давали волю чувствам.

Что она за дура? Надо было давно поговорить с Тубисом вне стен офиса в неформальной обстановке. На нейтральной территории он будет более раскрепощенным и обязательно пойдет на контакт. Олеся решительно встала с унитаза, поправила юбку и быстро пошла в бухгалтерию. Там было пусто — все ушли на обед. Зато подруга Маша Попова, а по совместительству инспектор по кадрам, сидела на краешке стола.

— Ты где шляешься? Пять минут тебя жду. Есть пойдем?

— Сперва мне нужно с тобой посоветоваться. — Олеся забралась на стол напротив. — Тубис не женат, так?

— Мы же смотрели недавно копию его паспорта у меня в архиве. Штампа там нет. — Маша была в курсе душевных страданий подруги, поэтому вопрос ее не удивил.

— И не похоже, что у него есть гражданская супруга или любовница, — продолжала Олеся задумчиво. — Мне Витька из отдела по продажам говорил, что Тубис не распространяется о личной жизни. А ведь любой мужик хотя бы иногда нет-нет да обмолвится о своей женщине, если таковая имеется. Правильно?

Маша кивнула.

— Значит, скорее всего Александр Александрович свободен, — подвела итог Олеся. — Из чего следует, что если я неожиданно нагряну к нему в гости, то большой беды не будет.

— Ты сдурела, что ли? — округлила глаза подруга.

— Я не сдурела, я вообще такая. — Олеся загадочно

улыбнулась и погладила обтянутые телесными колготками коленки. — Знаю, что это рискованно, тут или пан, или пропал, но я готова сыграть ва-банк. Ты ведь не откажешься мне помочь? Загляни в его личное дело и перепиши домашний адрес, пожалуйста.

Маша слезла со стола и покачала головой.

— Олеська, я-то перепишу, мне нетрудно. Чего ради подружки не сделаешь. Но я бы на твоем месте сто раз подумала. Может, не стоит, а? Как-то это все дурно пахнет. Ты же не проститутка, чтобы откровенно навязываться. Я вообще раньше за тобой подобной прыти не замечала.

— Попова, влюбишься однажды и запоешь по-другому! Ну что поделать, если я об этом козле днем и ночью думаю. Понимаю, что это полный идиотизм и наваждение. Понимаю, что хочу его только потому, что он равнодушен ко мне. И если он ответит взаимностью, скорее всего я быстро потеряю к нему интерес. Поступок, который планирую, — не самый мудрый. Но когда еще совершать глупости, если не в молодости? Коли Тубис меня пошлет, у нас с тобой будет повод поехать в клуб и напиться по поводу моего проигрыша. Ну, а коли не пошлет — я буду порхать от счастья какое-то время. Как ни крути, везде выгода.

Несколько секунд Маша молчала, обдумывая слова подруги, а затем спросила:

— Когда тебе нужен адрес?

— Сегодня, Попова. Сегодня! — Олеся рассмеялась и спрыгнула на пол. — Пошли в столовую, а то обед уже почти закончился!

Уйти с работы пораньше не получилось. Более того, пришлось задержаться до восьми. Обычно Тубис не перерабатывал, но когда возникала такая необходимость, реагировал философски. Сегодня философское настроение ему не давалось: мысли о Лизе не покидали голову. Как там она? Не стало ли ей хуже? Его невесты болели редко: он расставался с ними прежде, чем их организм окончательно слабел. По отношению к Лизе подобную перспективу пока не рассматривал — слишком интересна была новая игрушка. Если она поломалась, Тубис ее непременно починит.

Когда, наконец, срочные дела были выполнены, Сан Саныч поспешно выключил компьютер, спустился вниз и вышел на служебную парковку. Если повезет с дорогой, путь домой займет не более часа. Тубис включил радио и вырулил на шоссе.

Проводив его взглядом, Олеся отошла от окна своего кабинета и задумчиво села за стол. Коллеги по отделу уже разошлись домой, поэтому можно не изображать бурную деятельность и спокойно подумать. После обеда Маша продиктовала ей адрес Тубиса, но категорически советовала проигнорировать полученную информацию:

— У тебя никогда не было проблем с мужиками. Тебе стоит только улыбнуться, и рядом сразу кто-нибудь появляется. Я не понимаю, зачем ты добиваешься того, кто тебя не ценит.

— Я тоже не понимаю, — согласилась Олеся. — Именно поэтому и хочу разобраться в самой себе.

— Вот и разбирайся. Не обязательно для этого

переться на ночь глядя к мужику в гости без приглашения.

— Хорошая ты подруга, Попова, — улыбнулась Олеся.

— Но ты все равно сделаешь по-своему, да?

— Да. И расскажу тебе все детали своего позора. Или победы.

— Ну, если все детали, тогда ладно, — сказала Маша. — Желаю тебе удачи.

Олеся решила не затягивать с визитом и явиться в гости сегодня же вечером. Она видела, как Александр Александрович покинул офис и сел в машину, и прикинула время: пока он доберется домой, пока примет душ, поужинает — уйдет не менее двух часов. Значит, ей следует выдвигаться минут через сорок. Заехать домой она уже всяко не успеет, так что скоротает время на работе. Олеся достала зеркальце и критически осмотрела себя: хороша, как обычно.

Девушка настраивала себя на благополучный исход авантюры и все-таки боялась. Даже перед экзаменами в институте было менее страшно. Заваленный экзамен всегда можно пересдать. Сейчас же у нее имелась только одна попытка. Разумеется, конец света не наступит, если Тубис откажет. Но как она потом будет смотреть ему в глаза, встречаясь в офисе? Наверное, придется уволиться.

«И уволюсь! — оборвала себя Олеся. — Жалко, место хорошее и коллектив тоже. А вот зарплата не очень».

В девять вечера Олеся закрыла кабинет, вышла на улицу и поймала машину. Усевшись на заднее сиденье, назвала водителю адрес и прикрыла глаза, пытаясь справиться с накатившим волнением. Скажи ей кто-нибудь полгода назад, что она по доброй воле будет за кем-то бегать, — ни за что бы не поверила. Ее воспитывали правильной девочкой, коей она до недавних пор и являлась — вела себя скромно и сдержанно, полностью отдавая инициативу сильному полу. А теперь? Что с ней случилось? Прет, как танк, и нисколечко этого не стыдится. Да с какой стати ей, собственно, стыдиться? Еще никогда Олеся не испытывала таких удивительных эмоций. А ради одного этого восторга, заполнившего сердце, стоило переступить через собственные принципы.

Это была упоительная игра. А что касается риска... Кто-то однажды сказал: если сегодня не осмелишься совершить что-то из страха, завтра будешь об этом сожалеть, через неделю винить себя за нерешительность, через год испытаешь чувство потери, а в конце жизни поймешь, что сам себя обокрал.

Олеся улыбнулась и посмотрела в окно: вечерний город игриво подмигивал горящими глазами витрин, вывесок и фонарей, словно обещая, что все будет хорошо. Все и правда будет хорошо. И никак иначе.

Лиза не спала, просто лежала с закрытыми глазами. Похоже, она не притворялась — ей действительно было плохо. Тубис аккуратно просунул в горячую подмышку электронный термометр. Выждал минуту и вытащил: 38,2. Достал из пакетика шипучие таблетки, развел в стакане теплой воды и заставил Лизу выпить, придерживая ее затылок. Она послушно проглотила горьковатую жидкость и без сил откинулась на подушку. Тело казалось чудовищно тяжелым, веки намертво слиплись, любое движение требовало неимоверных усилий. Перед глазами проплывали странные образы, они меняли форму, перетекая друг в друга, создавая все новые и новые причудливые фигуры. Сначала Лиза следила за ними, пытаясь предугадать каждое последующее изменение, а затем отключилась, провалившись в жаркую темноту.

Тубис отстегнул металлический браслет от лодыжки, откинул длинную цепь и осторожно поднял Лизу на руки. Сегодня ночью не хотелось оставлять ее в подвале одну в таком состоянии. Он отнес ее наверх в гостиную. Положил на диван возле окна, накрыл одеялом, подоткнув края, и открыл форточку. Свежий воздух — самое действенное лекарство.

Несколько минут Сан Саныч сидел, молча разглядывая возлюбленную. Он привык к ее жесточайшему сопротивлению и негаснущей агрессии и теперь пребывал едва ли не в замешательстве. Эта беспомощная, безвольная Лиза казалась иной личностью — чужой и непонятной, — с которой только предстояло познакомиться. Определенно, новая ипостась невесты не нравилась Тубису. Если бы его привлекали тряпичные куклы, он выбирал бы забитых серых мышек и наслаждался бы их покорностью. Но его манили другие женщины — пусть не всегда красавицы, но с характером. Он любил усмирять разбушевавшуюся жертву, любил медленно, мучительно медленно приучать ее к повиновению, но так полностью и не приучить. Тубиса заводила борьба. Лизина болезнь лишала его удовольствия. Впрочем, он умел терпеть. Да и спешить ему некуда.

Для сна было еще рано, общение с невестой откладывалось, а играть в шахматы не хотелось. Сан Саныч включил настольную лампу, наклонив ее так, чтобы свет не бил Лизе в лицо, достал тонкую тетрадь и ручку. Он уже давно не писал писем сестре. Последний раз отправлял ей послание года два назад. Наверное, она соскучилась.

Они никогда не были особенно близки. Младшая сестра не разделяла мировоззрение брата и находила тысячи поводов для споров и ссор. В детстве не проходило ни дня, чтобы они не поругались. С возрастом между ними установился худой мир, но напряженность в отношениях никуда не исчезла. Сестра не понимала старшего брата и не стеснялась демонстрировать неприязнь. Но она была родным человеком, и Тубис ее по-своему любил. Последний раз они виделись лет десять назад.

Сан Саныч вырвал двойной листок и задумчиво покрутил ручку. Накопилось много новостей, но, пожалуй, начать следует с главной. Он встретил свою вторую половинку. Лучшую женщину, с которой проживет долгую и счастливую жизнь. Тубис посмотрел на Лизу — она по-прежнему спала, дыша тихо и тяжело, но лицо уже не было бледным. Вероятно, таблетки начали действовать.

Он напишет сестре о своем счастье. О том, как долго его искал. О том, что никогда его не упустит. Часы показывали 21.45.

ЧЕЛОВЕК БЕЗ СЕРДЦА

Когда таксист остановился у нужного ей дома, было без четверти десять. Олеся расплатилась и попросила водителя не уезжать.

— Если через пятнадцать минут я не вернусь, значит, обратно я сегодня уже не поеду. — Она улыбнулась и вышла из автомобиля.

Окружающий пейзаж внушал что угодно, кроме романтического настроя. Признаться, Олеся не ожидала, что объект ее воздыханий живет в таком унылом месте. Однако мало ли, какие причуды у человека. Да и отступать поздно — зря, что ли, ехала в эту глушь?

Олеся огляделась — ни одного прохожего, фонари святят через один. На таких улицах впору преступления совершать, а не свидания устраивать. Мелькнула мысль: уж не погорячилась ли она с поспешным решением? Разве адекватный человек может добровольно поселиться в таком мрачном районе? Убогие одноэтажные строения, раздолбанный асфальт — как бы не навернуться, чего доброго.

Олеся растерянно переступила с ноги на ногу, ища взглядом табличку с номером дома. Все правильно — адрес верный. В течение минуты она всерьез раздумывала над тем, чтобы отказаться от идеи и вернуться к машине. Уже развернулась, но, сделав пару шагов, остановилась. Хорошо, что таксист не видел ее метаний, уткнувшись в газету и разгадывая сканворд, не то со стыда бы сгорела.

В сумочке пикнул мобильный. Воспользовавшись оправданной заминкой, Олеся достала телефон. Попова прислала sms, спрашивала, все ли в порядке.

Ответ на этот вопрос тоже интересовал Олесю. Она пригладила волосы и смело ринулась вперед.

ТАТЬЯНА КОГАН

Тубис смотрел на исписанный мелким почерком лист. Он полагал, что ему не хватит целой тетради, чтобы поведать сестре обо всех своих приключениях и переживаниях, однако ж уложился в несколько абзацев. К счастью, он не мечтал о писательской карьере — иначе бы его ждал полный провал. Лаконичность сослужила бы ему плохую службу. Краткость, может быть, и сестра таланта, но мачеха гонорара.

Сестра будет рада и этому короткому письму, но ответ, как всегда, не напишет. Тубис никогда не получал от нее писем. Ей просто некуда было их отправлять. Он не указывал обратный адрес. Может быть, она сама давно сменила место жительства, и все его письма приходят в никуда. Но что-то подсказывало Тубису беспочвенность его подозрений. Он чувствовал: сестра получает его письма. Каждая написанная им строчка была ею прочитана. Завтра он заедет на главпочтамт и опустит конверт в почтовый ящик.

На крыльце послышались чьи-то шаги, а затем какая-то возня. Тубис метнул взгляд на больную — чтобы перенести ее обратно в подвал, понадобится по меньшей мере пара минут. За это время нежданный гость запросто ворвется в дом. Сан Саныч погасил лампу, тихо выдвинул верхний ящик стола и достал нож. На всякий случай.

Олеся замерла на пороге, собираясь с духом, и постучала. Дверь оказалась не заперта.

Тубис рванул дверь на себя и застыл на месте:
— Анька? Ты чего скребешься, как вражина? Я тебя едва не прирезал, глупая.

ЧЕЛОВЕК БЕЗ СЕРДЦА

Овчарка виновато прижала уши и тихонечко гавкнула.

— Я тебе уже говорил: хочешь в дом — полай. А не копошись у двери, как лазутчик. Поняла? — нарочито сурово произнес хозяин.

Анька огрызнулась, не раскрывая пасти, и проскользнула в дом, демонстративно обойдя Тубиса. Заметив спавшую на диване женщину, собака приблизилась к ней и понюхала руку. Запах был знакомый и неприятный. Из-за этого запаха хозяин буквально помешался и стал уделять Аньке гораздо меньше внимания. Однажды она обязательно искусает эту человеческую самку.

— Не смей, — приказал Сан Саныч. — Теперь она твоя хозяйка. И ты должна ее защищать.

Олеся толкнула дверь и заглянула внутрь. В коридоре было темно, но не настолько, чтобы не заметить царившие здесь грязь и запустение. Очевидно, помещение было нежилым. Девушка посветила дисплеем мобильного телефона: клочья обоев свисали с ободранных стен, на потолке темнел вырванный электропровод, на полу валялись старые газеты и целлофановые пакеты. Картина была жутковатая. Олеся поспешила уйти.

В машину садилась со смешанным чувством облегчения и замешательства. С одной стороны, приятно, что Тубис не живет в этой дыре. С другой стороны, непонятно, зачем ему понадобилось оставлять на работе фальшивый адрес. У этого мужчины явно есть какая-то тайна. И Олеся твердо намеревалась разгадать ее. Давно ей не было так интересно жить.

Глава 10

■

— Сергей Иваныч позвонил из Мюнхена. Все путем, долетели нормально. Будем ждать новостей, — сообщил Макс. — Дай бог, фашисты помогут.

Глеб невольно улыбнулся: иногда друг выдавал такие перлы, что хотелось записывать. Тем не менее радостного настроения приятеля Глеб не разделял. Конечно, хотелось считать, что современная медицина творит чудеса, но слишком много факторов должно сойтись, чтобы чудо свершилось. Порой есть и возможности и желание — но один маленький нюанс перечеркивает успех. Так было с Юрой. Вроде и почка для трансплантации нашлась, и операция прошла успешно, и процесс приживания донорского органа протекал без критических эксцессов. Жить бы еще парню и жить. Не повезло: попал не к тем врачам и умер в больничной палате. Все научные и медицинские достижения по-прежнему держатся на обыкновенной удаче. Глеб искренне желал, чтобы Джеку повезло больше, чем Юрке.

— Эй, старик, ты на проводе? — послышалось из телефонной трубки. — Ты сам-то куда пропал? Увидимся сегодня?

— Извини, Макс, у меня тут дел по горло накопилось. Хочу разгрести.

— Нужна помощь?

— Возможно, — неопределенно ответил Глеб. Задачи, которые ему предстояло решить, были довольно специфическими. Привлекать товарища вряд ли имело смысл. Да и своих проблем Максу хватало с головой.

— Ты не скромничай. Имей меня в виду, договорились?

— Договорились, — соврал Глеб. — Что слышно от детектива?

— Ничего, — мрачно ответил Макс. — Говорит, как только, так сразу.

— Держи меня в курсе.

— Само собой. — Приятель помолчал. — Думаешь, Лизка найдется?

Честно говоря, на сей счет Глеб не думал. У него имелись вопросы поважнее. Да и что еще он мог предложить для эффективного поиска подруги? Услуги частного сыщика оплатил, а других идей пока не появилось. Оставалось только ждать, полагаясь на профессионализм нанятого специалиста.

— Найдется, — убежденно произнес Глеб. — Лиза всегда умела за себя постоять.

— Ты сильно переоцениваешь ее способности. — Голос друга прозвучал резко. — Может, она и стерва в чем-то, но по большому счету обычная баба. Куда ей тягаться против мужика.

— Прежде она отлично справлялась с мужиками, если не своими, то чужими руками, — зло ответил Глеб. — Если я участвую в ее поисках, то вовсе не от великой любви, и, думаю, ты сам это понимаешь. Твои чувства — это твое личное дело. Но мне их навязывать не стоит.

— Вон ты как заговорил, — медленно протянул Макс. — Я грешным делом подумал, что ты вернулся и у нас все будет, как раньше. Ошибся, по ходу.

— «Как раньше» — это как? Убивать людей ради прихоти или корысти? — Глеб усмехнулся. — В таком случае ты не ошибся, как раньше, не будет. Но я не отказываюсь участвовать в решении нынешних проблем. Я не буду стоять в стороне и наблюдать, как ты один разгребаешь дерьмо, которому мы все вместе послужили причиной.

— Я понял, старик, — сухо произнес Макс. — Спасибо за благородство.

— Ничего ты не понял. — Глеб повысил голос, постепенно раздражаясь. — Благородством тут и не пахнет. Я всего лишь признаю свою ответственность. Мы попали в незавидное положение, но мы выберемся, если будем мыслить по-деловому, а не опускаться до дискуссий о том, кто кого любит, а кто нет.

— Лады. Как будут новости, я тебе сообщу, — бросил Макс и положил трубку.

Глеб вздохнул, еле поборов желание что-нибудь немедленно разломать. Последние дни выдались особенно напряженными, и он прилагал немалые усилия, чтобы сохранять холодный ум. Навалилось все сразу, и было непонятно, в какой последовательности решать задачи и как. Приоритетом были поиски Гали и идентификация личности мстителя. И хотя Глеб не сомневался, что именно Велецкий является тем самым инкогнито, это нисколько не упрощало ситуации, а может быть, даже наоборот.

Как извернуться, чтобы Велецкий прекратил мстить, удовлетворившись достигнутым, и остался для Макса неизвестным? Прийти к нему добровольно с повинной? Мол, казни меня, мудрый царь, а других помилуй? Идея, достойная премии Дарвина... Может, какая-то часть идиотизма в Глебе и присутствовала, но вот жертвенностью он точно никогда не отличался. И ладно бы, если эта жертвенность сработает. Но ведь гарантий никаких.

Самое противное, что подумать толком на эту тему у Глеба не получалось. Едва он настраивался на то, чтобы всерьез просчитать варианты выхода из затруднительного положения, мысли устремлялись в иное русло. Туда, где не было ни зарвавшихся друзей, ни свихнувшихся одноклассниц, ни озлобленных мстителей. В новый, особенный мир, где билось крошечное сердце.

Родители Гали отказывались выходить на контакт. Глеб предпринял не самый благородный, но действенный шаг — подкараулил их у подъезда. Они возвращались из магазина — Григорий Петрович, отец, нес три тяжелых пакета, Елена Алексеевна, мать, шла налегке. Первой заметив зятя, она остановилась и тронула мужа за локоть.

Глеб виновато улыбнулся:

— Здравствуйте. Простите за назойливость.

Теща осуждающе покачала головой и собралась было выдать гневную тираду, но муж остановил ее:

— Лена, поднимись в квартиру. Я поговорю с ним сам.

— Да о чем с ним разговаривать, Гриша? Ты забыл, в каком состоянии была дочь? Гнать его поганой метлой и не пускать на порог! А ну, иди с глаз долой, — угрожающе насупилась женщина, адресуя последнюю фразу растерявшемуся зятю.

— Лена, поднимись в квартиру. Я скоро буду, — не меняя спокойной интонации, повторил муж и прислонил к домофону ключ, открывая дверь подъезда.

Теща негодующе всплеснула руками, но от дальнейших споров воздержалась. Бросила на зятя колючий взгляд и зашла в подъезд.

Григорий Петрович подошел к лавочке, со скорбным видом поставил пакеты на землю и сел. Глеб последовал его примеру. Какое-то время они молчали. Потом тесть достал сигареты, похлопал по карманам брюк и пиджака и, не найдя зажигалки, отложил пачку на сиденье.

— Вот, возьмите, — сказал Глеб, протягивая свою зажигалку.

— Спасибо.

Оба закурили. На улице было тихо, лишь на детской площадке неподалеку скрипели качели. Стоял ленивый московский полдень, в неподвижном воздухе висел запах пыли и бензина. Григорий Петрович затушил окурок о край мусорного бака и тяжело вздохнул:

— Не знаю, что такого ужасного ты натворил, но Галя была сама не своя. Она и правда больше не хочет тебя видеть.

Глеб оперся локтями о колени и сжал голову руками. Так много хотелось сказать, объяснить, что никогда бы не причинил вреда любимой женщине, что не претендует на возобновление отношений. Он понимает, что не заслуживает второго шанса. Однако имеет право видеть и воспитывать родного ребенка.

ЧЕЛОВЕК БЕЗ СЕРДЦА

Глеб опустил руки и с отчаянием поглядел на собеседника.

— Я знаю, что она родила моего ребенка.

Григорий Петрович отрицательно помотал головой.

— Ты ошибаешься.

Глеб опустил глаза на пакеты с продуктами. В одном из них лежала плюшевая игрушка. Пожилой мужчина проследил за его взглядом и смущенно отвернулся.

— Я не отберу у нее ребенка, вы же знаете меня не первый год, — тихо произнес Глеб. — Я всего лишь хочу участвовать в его жизни. Наблюдать, как он растет. Поддерживать его.

— Дочка тоже знала тебя. Однако сбежала без оглядки. Чем-то ты ее очень потряс, — куда-то в пустоту ответил тесть. — Я ее отец. Я не могу рисковать. Дочь попросила нас держать язык за зубами. Но я все-таки скажу тебе кое-что.

— Я слушаю.

— Она счастлива.

Глеб пытливо взирал на собеседника, явно ожидая подробностей. Григорий Петрович повертел в руках пачку от сигарет, внимательно изучив надписи, и сунул в карман.

— Она счастлива. У нее новая семья. Если ты желаешь Галине добра, оставь ее в покое.

— Вы бы отказались от своего ребенка? — горько усмехнулся Глеб.

— Ситуации бывают разные, — неуверенно протянул тесть. Разговор явно смущал его.

— Хорошо, — неожиданно согласился Глеб и протянул ему руку. — Всего хорошего. Не буду вас больше терзать.

Григорий Петрович с облегчением ответил на рукопожатие и поспешно встал.

— Прощай. Зла не держи. — Он поднял пакеты и зашагал к подъезду.

Глеб проводил взглядом его сутулую спину и понял, что не отступится, пока не увидит своего сына. И трижды наплевать, что бывшая жена отыскала себе нового спутника. Ребенок никогда не станет тому родным.

Глеб по-прежнему любил Галю. И хотя острая боль от расставания утихла, тоска и сожаление никуда не исчезли. Он искренне хотел, чтобы она обрела счастье. Но все же известие о том, как быстро она утешилась, неприятно удивило. В последний раз, когда они виделись, Глеб заметил равнодушие жены. И все-таки надеялся, что это искусная игра, а не настоящее безразличие. Он не мог уразуметь, что некогда сильное чувство способно угаснуть за считаные мгновенья. Какую бы боль Галя ни причинила Глебу, он вряд ли отказался бы от нее. Огорчился бы, обиделся. Но не разлюбил.

Конечно, он мужчина, и менталитет у него соответствующий. Но черт побери, разве истинные чувства имеют половую принадлежность? Глеб раздраженно сплюнул.

Не хотелось верить, что Галя уехала слишком далеко. Она всегда с сентиментальным трепетом относилась к родному городу. Скорее всего, просто сменила район. Если так, то рано или поздно родители непременно наведаются к ней в гости. Но что же теперь — разбить у дома палатку и караулить их денно и нощно? А что, если вопреки его надеждам Галя все-таки улетела на край света? Единственный вариант узнать ее местонахождение — прослушивать телефоны ее родителей. Но как это устроить? У Глеба не было ни знакомых специалистов, ни денег на оборудование. Кое-какие средства у него еще оставались, но ведь и питаться тоже необходимо, и выглядеть прилично. Хорошим же он будет отцом, если явится к сыну гол как сокол.

Минувшей ночью Глеб спал беспокойно. Ему снились очень неприятные сны. Сначала они сидели у Макса дома, и тот постоянно расхваливал свою новую жену. Глеб изъявил желание познакомиться.

— Легко, — ответил Макс и позвал: — Принцесса, зайди поздоровайся!

На кухню вошла Галя и села к Максу на колени. У нее был огромный живот.

— Мы ждем двойню, — радостно сообщила она.

— А где же наш ребенок? — потрясенно выдохнул Глеб. Он понимал, что происходит что-то фантастически омерзительное, но никак не мог осознать, что видит сон. Эмоции он испытывал самые реалистические.

— Наш ребенок ослеп, и я отказалась от него. Зачем мне слепой ребенок? Его усыновила семья из Германии, — счастливо улыбаясь, объяснила Галя.

— Старик, тут такое дело, — вмешался Макс. — Мне нужна от тебя услуга.

— Я слушаю, — потрясенный Глеб перевел взгляд на товарища.

— Мы сделали УЗИ. Нашим близнецам понадобится пересадка почек. Ты станешь донором? Нам нужны обе твои почки, — хмуро произнес друг и потянулся к лежавшему на столе ножу. — Я вырежу их прямо сейчас. Ты не против, старик? Очень надо!

Глеб в ужасе отшатнулся и очутился на пустом морском пляже. Вдалеке виднелся размытый с одного бока невысокий песчаный замок. Приблизившись к нему, Глеб увидел младенца, игравшегося с песком. Маленькая девочка подняла на него абсолютно осмысленные глаза и сказала голосом Лизы:

— Моя смерть на твоей совести.

— Почему? — задохнулся от возмущения Глеб.

— Моя смерть на твоей совести, и за это ты тоже умрешь. — Младенец улыбнулся и снова принялся хватать ладошкой мокрый песок.

Глеб бросился бежать, но с каждым шагом бежать становилось труднее. Он чувствовал позади себя чье-то тяжелое дыхание, но боялся оглянуться, чтобы увидеть преследователя. Было так страшно, что казалось, сердце вот-вот разорвется. Из последних сил рванулся вперед, но в ту же секунду ощутил на шее чьи-то пальцы. Он заметил манжет темного делового костюма и догадался, что Велецкий нашел его. Глеб захлебнулся от ужаса и проснулся.

Долго стоял под холодным душем, восстанавливаясь после изнуряющих сновидений. А потом позвонил Макс и добавил нервозности. Глеб понимал: другу сейчас нелегко. Но разве он отказывался ему помогать? Он вносил посильный вклад в поиски Лизы, проведывал Джека, пока тот не отправился на лечение за границу, ломал голову над тем, как защитить их компанию от мести Велецкого, а самого Велецкого от мести Макса; и помимо этого решал еще свои личные проблемы.

Чертова жизнь! Как только начинаешь верить, что все наладилось, тебе на голову выливается новая порция помоев. Как хочешь, так и отмывайся.

Глава 11

■

Лиза лежала в упругой темноте, раскачивающейся подобно огромным медлительным качелям. В уши забивалась плотная, вязкая тишина, и лишь изредка сквозь нее прорывались звуки знакомого голоса, голоса ее собственной смерти. Лиза знала, что скоро умрет, но больше не испытывала никаких эмоций, кроме всепоглощающей тоски. Жизненные силы покинули ее; она утратила интерес к окружающему миру; желания, некогда бурлившие в ее сердце, остыли, как стынет речная вода октябрьской ночью. Лиза ничего не хотела. Она находилась на тонкой грани — уже не чувствовала стремления жить, но еще не призывала смерть. Она просто существовала. Без смысла и без надежды.

Иногда в сознании проскакивали тусклые образы прошлого — чьи-то лица и фигуры вспыхивали на мгновение и вновь угасали, не будучи опознанными. Лиза понимала, что когда-то принадлежала к иному миру, наполненному событиями и переживаниями, но память отказывалась выстраивать целостную картину. Мозаика не складывалась, мелькая перед глазами разрозненными фрагментами. Лиза засыпала и просыпалась, засыпала и просыпалась, и уже не могла отличить явь от сновидений. Иногда дрожащая жара неожиданно наполнялась дуновением свежего воздуха — сознание прояснялось, и Лиза начинала смутно припоминать, где она и почему. Но жар возвращался опять, и мглистый обморочный туман накатывал с новой силой. Темнота уносила ее вверх, а потом плавно двигала вниз. Вверх и вниз. Вверх. Вниз.

Тубис сидел напротив Лизы, устроившись на твердом неудобном стуле, и тревожно вглядывался в осунувшееся личико. Невеста бредила, и он всерьез начинал беспокоиться. О том, чтобы везти ее в больницу, речи быть не могло. Вызывать врача на дом тоже слишком рискованно. Тубис посмотрел на градусник — температура держалась стабильно чуть выше тридцати семи. Не было никаких признаков простуды или ангины. Скорее всего, причины болезни имели психосоматическую природу. Кто бы мог подумать, что неудавшийся побег так подкосит Лизу. Тубис чрезмерно завысил планку ее выносливости. Придется проявлять больше аккуратности.

Он нехотя покинул подвал, запер дверь и вышел на улицу. Стояло раннее утро, воздух был прохладен и чист, и ехать в шумный загазованный город совсем не хотелось. Сегодня он отработает, а завтра возьмет отгул. Надо поднимать Лизу на ноги.

Офис встретил ведущего менеджера по продажам

привычной суетой, секретарша кивнула ему и взяла трезвонивший телефон. Тубис прошел в свой кабинет и плотно прикрыл дверь, отрезая посторонние шумы. Сегодня он планировал ударно потрудиться.

Олеся проснулась раньше обычного. Вернее, ее разбудили. Она нехотя вылезла из-под одеяла, потянулась, накинула халат и вышла из комнаты.

На кухне истошно голосил Морда — толстый рыжий кот, — заходившийся в истерике от запаха рыбы, разделываемой хозяйкой. Не выдержав звуковой атаки, ее мать то и дело бросала на пол жирные куски трески, которую Морда заглатывал в мгновение ока, даже не жуя, и тут же заново начинал утробно мяукать.

— Что, мам, веселитесь? — заспанно хихикнула Олеся, усаживаясь на стул. — Доброе утро!

— У меня от такого веселья уже мигрень начинается. Забери его от греха подальше, иначе я его вместе с рыбой разделаю! — простонала мать, бросив на дочку умоляющий взгляд.

— Ха-ха-ха, слышишь, Морда, чем тебе угрожают? — Олеся нагнулась и, не без усилий подняв кота, заглянула в его шальные круглые глаза. — Ты и так по швам трещишь, хватит жрать, Морда. День еще только начинается, а ты уже набит под завязку!

Кот предпринял попытку вырваться, но сопротивление требовало слишком много усилий, что при его весе приравнивалось к героизму. Поэтому он безвольно повис, вытянув задние лапы, демонстрируя внушительное пушистое брюхо и надеясь на скорое освобождение.

— Ну и ленивый же ты, — восхитилась Олеся и понесла кота в другую комнату. Он появился в их семье семь лет назад. Родители, младшие братья и сама Олеся ломали голову над подходящим именем для питомца, но никак не могли выбрать. Несколько дней он оставался безымянным, покуда однажды за обедом отец не заметил, с каким недовольным и требовательным выражением котенок отслеживает каждый поглощаемый человеком кусочек пищи.

— Ну и морда у него, — прокомментировал отец. — Такая, что я себя гостем чувствую в своем же собственном доме.

Все рассмеялись, а котенок враждебно чихнул, скривив и без того неласковую морду. С тех пор так и повелось — Морда да Морда.

Олеся впихнула кота в комнату брата и вернулась к себе в спальню. Будильник еще не прозвенел, времени оставалось предостаточно, поэтому можно было не торопиться. Обычно Олеся тянула до последнего, несколько раз переводила будильник на пять минут и еще на пять минут. А затем в спешке собиралась и неслась на работу, даже не позавтракав.

Она зевнула и подошла к аквариуму с рыбками, стоявшему возле окна. Взяла с полки пакетик с кормом, насыпала пару щепоток в воду и замерла, пересчитывая кинувшихся к лакомству гуппи. Опять одной не хватает! Это была прямо какая-то мистическая тайна. Раз-два в месяц по необъяснимой причине бесследно исчезала как минимум одна рыбка.

То ли они совершали суицид, выпрыгивая из аквариума, где на полу их подбирал вечно голодный Морда. То ли кот сам вылавливал их, каким-то чудом умудряясь расположиться на углу аквариума. То ли рыбки сами друг друга поедали, впадая время от времени в рыбий каннибализм.

Олеся чего только не перепробовала. И дополнительный источник кислорода размещала, и за температурой воды следила, и корм меняла, и накрывала крышкой аквариум, оставляя только небольшую щелку, и не впускала Морду в комнату — все равно стабильно недосчитывалась одной, а то и двух рыбок.

— Меня окружают сплошные загадки, — самой себе сказала Олеся и отправилась в ванную умываться и наводить красоту.

На работу приехала без опоздания. Включила компьютер, наскоро проверила электронную почту. А затем подняла трубку и позвонила по внутренней линии Тубису. Попросила счет-фактуру по одной из недавних сделок.

— Я заносил вам позавчера. Посмотрите у себя на столе, — ответил он.

— Хорошо, — грустно сказала Олеся и отключилась. Пресловутая счет-фактура валялась на видном месте, Олеся звонила просто потому, что хотела услышать любимый голос. Александр Александрович снова оборвал ее на полуслове. Никакой фантазии у человека!

Неудачная поездка, закончившаяся ничем, только укрепила желание Олеси докопаться до истины. Может, истины никакой и нет и Тубис обычный скучный холостяк, зацикленный на работе, а его единственный секрет хранится на полке под телевизором, где он прячет жесткую порнушку. Олеся не исключала подобной возможности и была готова к тому, что загадочная любовь обернется будничной разгадкой. Но ведь она охотилась не за таинственным сокровищем. Ей нравился простой мужчина, и хотела она от него самых простых вещей. Чувства Олеси не имели ничего общего с маниакальным наваждением. Она испытывала симпатию и любопытство. И не видела причин, чтобы не утолить их.

Маша появилась в проеме двери и указала головой в сторону курилки. Олеся последовала за ней.

— Идешь после работы на фитнес? — спросила Попова, затягиваясь тонкой ментоловой сигаретой.

— Нет настроения.

— Расстроена из-за вчерашнего?

Олеся разгладила на юбке несуществующую складку:

— Есть немного. Обламываться всегда неприятно.

— Может, это тебе знак был, чтобы ты бросила свою несерьезную затею, а? — участливо предположила Маша. — Столько мужчин вокруг, а ты уперлась в одного и других не замечаешь.

— Может, и знак, — неопределенно протянула Олеся. Разум подсказывал ей, что глупо бороться за того, кому твоя борьба не нужна и даром. Но так хотелось пойти на поводу у чувств, так хотелось! За двадцать три года у Олеси не случилось ни единого любовного разочарования; лишь убедившись в искренней симпатии мужчины, она делала ответный шаг — или не делала. Отношения всегда доставляли ей удовольствие, когда удовольствие уменьшалось, инициировала разрыв. Редкая юная особа могла бы похвастаться здравомыслием в столь тонкой чувственной сфере. Тем необычнее и привлекательнее казались ей эмоции, испытываемые в настоящий момент. Это было что-то новое, настоящее. И это «что-то» никак нельзя упустить.

— Так что ты решила? — Маша стряхнула пепел в высокую узкую урну и испытующе взглянула на подругу.

— Ничего не решила, — соврала та. — Поживем — увидим.

— Чего-то ты не договариваешь, — недоверчиво хмыкнула Маша. — Ты точно не выкинешь какой-нибудь фокус?

— Отстань, Попова, — отмахнулась Олеся. Разговор с подругой начинал тяготить ее. Обычно они не скрывали друг от друга ничего, но почему-то сейчас Олеся не испытывала желания обсуждать сокровенное. Определенно, творилось нечто особенное.

— Ладно, хватит трепаться, пошли работать. — Олеся отобрала у подруги сигарету и затушила о бортик урны.

Маша удивленно моргнула:

— С тобой точно что-то неладно. Ты меня пугаешь.

— Не бойся, Попова. Прорвемся. — Олеся открыла дверь и покинула курилку.

Работать абсолютно не хотелось. Олеся сидела за компьютером, делая вид, что усиленно трудится. На самом же деле ее мысли были далеки от бухгалтерского учета. Она мысленно воспроизводила образ Тубиса и пыталась понять, что же зацепило ее внимание.

Олеся встречалась с красавцем манекенщиком, которому нравилось иметь достойную пару. Когда они вместе появлялись на людях, им вслед часто оборачивались — так эффектно они смотрелись вдвоем. Его внешность была выше всяких похвал, но с ним оказалось скучно. Они расстались через полгода.

Олеся встречалась с бизнесменом, который не жалел денег на новую пассию. Он был молчалив и щедр, но требовал слишком большой отдачи. Девушке нравилось его общество, но собственнические замашки кавалера ее утомляли. Кроме того, он был слишком пресным в постели. Они расстались через год.

Олеся встречалась с художником, который рисовал ее портреты и не жалел красноречия на комплименты. Он был беден и неряшлив, но боготворил свою Музу. В его компании девушка ощущала себя если не богиней, то определенно царицей. Бесконечный поток восхищения заметно повышал ее самооценку. Впрочем, комплименты вскоре ей приелись, а дарить приятные мелочи или хотя бы скромные букеты было не в характере художника. Они расстались через три месяца.

Ее мужчины были не похожи друг на друга, но их объединяло искреннее влечение к Олесе. Тубис не имел с ними ничего общего. Он находился на ином уровне, почти недосягаемом, и этот факт сводил ее с ума. Олеся понимала, что рано или поздно у каждого случается неразделенная любовь, но самонадеянно полагала, что избежит этого несчастливого опыта. Ее ужасала подобная перспектива. И тем страшнее было осознавать, что нежеланная участь уже постигла ее.

ЧЕЛОВЕК БЕЗ СЕРДЦА

Внутренние метания никак не отражались на ее открытом спокойном лице. Главный бухгалтер намеревалась подкинуть Олесе дополнительное задание, но, увидев, как сосредоточенно сотрудница изучает монитор, нагрузила другого специалиста. Олеся едва ли замечала происходящее вокруг, не оставляя попыток разложить по полочкам свои эмоции. Ее кидало из крайности в крайность: она категорически отказывалась предпринимать активные действия, а через минуту уже обдумывала план по соблазнению равнодушного коллеги.

К концу рабочего дня Олеся вымоталась так, будто двое суток без сна и отдыха готовила отчет для налоговой. Бесконечные колебания раздражали ее и отнимали силы. Следовало принять конкретное решение и остановиться на нем. Олеся сняла висевшую на спинке кресла сумку и стала собираться домой.

Когда трудовой день закончился, Тубис выдохнул с облегчением. По дороге в поселок заехал в продуктовый магазин, купил фрукты, свежую зелень и мед. Анька встретила хозяина у калитки, зайдясь приветственным лаем. Впустил собаку в дом, оставил пакеты на кухне и спустился в подвал.

Лиза лежала на спине мертвенно-бледная, с сухими губами, и не дышала. Тубис бросился к ней, прижал два пальца к шее. Она не могла умереть! Не могла! Не было оснований для смерти. Им с невестой предстоит пережить еще столько прекрасных мгновений. Они будут счастливы долго и безраздельно. Он не позволит ей уйти так бессмысленно и глупо.

Пульс прощупывался, дыхание было слабым и поверхностным, немудрено, что он не сразу его заметил. Болезнь затянулась. Нужно предпринимать срочные меры. Вынужденный перерыв тяготил Тубиса. Ему не хватало общения. Он отстегнул цепь, собираясь перенести Лизу наверх и положить у открытого окна. Свежий воздух благотворно влиял на ее состояние. В прошлый раз у нее упала температура, но он поспешил вернуть ее в безопасный подвал, и зря. Она сейчас все равно не способна встать на ноги, не говоря уже о том, чтобы совершить побег.

Тубис закутал Лизу в простыню и поднял на руки. В этот момент наверху раздался громкий лай. Вероятно, Анька просто требует внимания, но лишний раз подстраховаться не мешает. Сан Саныч опустил безвольную ношу на кушетку и быстро взбежал по ступенькам, прикрыв за собой дверь. Надрывный лай доносился из коридора, Тубис проследовал туда.

На пороге стояла Олеся, испуганно сжавшись под хищным оскалом овчарки. Увидев мужчину, девушка растерянно улыбнулась:

— Простите, дверь была открыта. Вы успокоите собачку? Еще секунда, и она вцепится мне в горло...

Хозяин приказал овчарке замолчать. Анька сердито гавкнула и подчинилась, сев рядом, готовая в любой момент ринуться на нежданную гостью. Тубис вопросительно посмотрел на девушку. Он редко удивлялся. Но сейчас был изумлен.

Олеся шагнула в сторону и присела на краешек обувной тумбы, почувствовав, как от волнения ноги становятся ватными. Она не собиралась выслеживать

ЧЕЛОВЕК БЕЗ СЕРДЦА

Тубиса. Она решила, что он не достоин ее страданий. Но спустившись в холл и увидев, как он выходит на парковку, мгновенно передумала. Олеся не помнила, что произошло дальше. События разворачивались сами по себе. Она просто излучала желание, и необходимые обстоятельства притянулись незамедлительно.

Нет, она не могла сориентироваться за минуту, рвануть к дороге, проголосовать, остановить попутку и попросить водителя следовать за автомобилем Тубиса. Ее тело сделало это самостоятельно. А сама Олеся сидела где-то внутри его, свернувшись в маленький дрожащий комочек, трусливо наблюдая за происходящим. Между тем ее собственный голос настоятельно рекомендовал водителю держаться на приличном расстоянии от преследуемой машины, чтобы их не рассекретили, а при въезде в поселок потребовал остановиться подальше от того места, где Тубис припарковался. Олесины руки достали деньги из кошелька и вручили таксисту. Олесин голос вежливо сообщил, что ждать не нужно, ибо ее сердце предчувствовало удачу. Олесины ноги дошли до нужного дома, поднялись на крыльцо и переступили через порог. В это мгновение истинная Олеся вернулась, едва не разрыдавшись от смущения.

— Простите еще раз, что я без приглашения. И добрый вечер, — промямлила она.

Сан Саныч оперся плечом о стену, сложив руки на груди и пристально глядя на гостью.

— Не сердитесь на меня, пожалуйста, — жалобно простонала девушка. — Вы мне нравитесь. На работе у нас не получалось толком поговорить. И я подумала, что... Может... Если я... Боже, не молчите же!

Тубис стоял неподвижно, по-прежнему не произнося ни слова. Это сюрреалистическое явление девы настолько поразило его, что на какое-то время он даже позабыл о том, где находится. Тубису еще не приходилось сталкиваться со столь наглой настойчивостью и обескураживающей прямотой. А уж от стеснительной и тихой Олеси он подобного точно не ожидал. Трогательная девичья влюбленность не могла не греть душу, однако рассудок подсказывал, что ничего хорошего из этого не выйдет. Шальная страсть редко приводит к счастливому финалу. Влюбленная отвергнутая женщина может быть весьма опасна. Тубис смотрел на Олесю и замечал то, чего не видел прежде: исходящую от нее опасность. Девушка была не так безобидна, как ему казалось. Она поставила цель и упрямо шла к ней. И ее цель определенно конфликтовала с его интересами.

Как девчонка разузнала его домашний адрес? Ее любопытство ставит под угрозу его семейное счастье. Рискованно держать пленницу в доме, куда без приглашения вторгаются гости. Нужно срочно что-то предпринять, дабы обезопасить себя и Лизу.

Олеся ощущала себя провинившейся маленькой девочкой, стоявшей посреди класса и сгорающей от стыда. Суровый учитель осуждающе смотрит на нее и качает головой: мол, как ты могла так гадко себя вести? Она не находит слов оправдания и готова провалиться сквозь землю, только бы не видеть этого равнодушно-порицающего взгляда.

ЧЕЛОВЕК БЕЗ СЕРДЦА

Какую страшную ошибку она совершила! Насильно мил не будешь. Невозможно угнаться за тем, кому безразлично твое существование. Даже если ты настигнешь свою мечту и схватишь дрожащей рукой, она просочится сквозь пальцы сухим песком, оставив вместо себя сожаление и обиду. Она не должна была приезжать. Тубису нет дела до ее чувств. Это для нее он — ярчайшая звезда во вселенной. А для него она, Олеся, всего лишь безмолвная пустота, в которой нет признаков жизни. Какая пошлая драма...

— Как вы здесь очутились? — спросил хозяин дома.

Олеся не успела ответить, вперив изумленный взгляд в пространство позади Тубиса. В проеме двери стояла худая изможденная женщина, закутанная в грязную простыню. Она шаталась, ее черные волосы были спутаны и влажны, под глазами залегли фиолетовые круги, на шее, запястьях и лодыжках темнели широкие синяки. Женщина беззвучно открывала рот, пытаясь что-то сказать, но не находила сил... Наконец ей удалось совладать с собственным голосом, и она чуть слышно произнесла:

— Помогите... Меня похитили... Меня зовут Гончарова... — Лиза не успела завершить фразу — удар в лицо сбил ее с ног. Она упала, больно стукнувшись затылком об угол стены, и потеряла сознание.

Олеся ошеломленно смотрела на разворачивающуюся перед глазами картину, не понимая, реальность это или галлюцинация. Происходило нечто настолько странное, что мозг отказывался обрабатывать информацию. Олеся так и сидела, не шевелясь, на обувной тумбе. И даже не предприняла попыток встать, когда мужчина приблизился к ней вплотную и прошептал:

— На чем ты сюда приехала?

— На машине, — автоматически ответила она.

— На чьей машине?

— На своей. — Олеся сказала первое, что пришло в голову. Она едва ли слышала собственный голос.

Сан Саныч протянул руку, захлопнув входную дверь и повернув замок. Олеся рассеянно проследила за его движением. Где-то в горле рос и ширился тугой прохладный комок, а на задворках сознания мелькала пугающая догадка. Словно прося объяснений, Олеся подняла на мужчину тревожный взгляд.

Тубис вздохнул, предчувствуя неизбежное. Он мог бы придумать сказку, например, о том, что его полоумная жена больна и бредит, и единственный способ бороться с ее приступами — дать ей несильную пощечину. Или о том, что они с супругой практикуют ролевые игры «насильник–жертва». Но это была бы напрасная трата времени. Сейчас Олеся примет на веру любую легенду, но едва приедет домой и оправится от шока, сразу поймет очевидное. Глупая, глупая девчонка. Тубис не хотел этого делать. Совсем не хотел. Но у него нет иного выхода. Он не может рисковать.

Олеся опустила взгляд на крепкие загорелые ладони, потянувшиеся к ремню на брюках. Пальцы у Александра Александровича были длинные и широкие, поросшие редкими черными волосами, а ногти — круглые и крупные, аккуратно подстриженные. Его руки вытянули ремень из петель и поднесли его к Олесиной шее.

ЧЕЛОВЕК БЕЗ СЕРДЦА

«Она была хорошей, милой девушкой. Жаль, очень жаль», — подумал Тубис, затягивая удавку на горле.

«Какая гладкая кожа у него на лице, словно ему пятнадцать лет, и он еще ни разу не брился», — подумала Олеся, теряя сознание. Она так и не успела понять, что умирает.

Он был зол! О, как он был зол!

Редко обстоятельства оборачивались против него. Тубис всегда просчитывал возможное развитие событий, будучи готов к неожиданному их повороту. Никогда не действовал спонтанно и наобум, осознавая, что опрометчивый поступок может стоить ему свободы или даже жизни. Из-за влюбленной дурочки ему пришлось нарушить свои принципы и вовлечь себя в крайне затруднительное положение.

Что теперь делать? Предположим, труп он спрячет, но как обезопасить себя от последствий? Как удостовериться в том, что Олеся никому не рассказала о своих планах? Если хоть один человек в курсе, к кому в гости она отправилась, то это сущая катастрофа. Спустя несколько дней после исчезновения девушки поднимется шум и суета, и, вероятно, полиция нагрянет к нему с обыском. Неприятная перспектива не пугала бы Сан Саныча, если бы в подвале не томилась невольница. Вот ведь проклятье!

Влюбленная в него девушка и женщина, в которую он сам влюблен, пересеклись в одной точке и взорвали его упорядоченный, спокойный мир. Лиза поступила подло, но он сам виноват: поверил в ее беспомощность, снял цепь и не закрыл на засов подвальную дверь. Он подставился по полной программе!

Мерзость!

Мерзость!

Лиза валялась на полу, не приходя в чувство. Тубис еле сдержался, чтобы не пнуть ее под ребра. Лживая тварь. Он научит ее послушанию. Накажет так, что она никогда не оправится. Но это будет позже. А пока есть более срочные дела. Он перенес Лизу в подвал, закрепил на ее лодыжке металлический браслет и, поднявшись наверх, запер дверь.

Анька сидела возле мертвой Олеси, заинтересованно глядя на хозяина. Происходящее развлекало ее. Собака весело гавкнула.

— Тихо ты! — шикнул на нее Тубис.

Анька навострила уши и наклонила набок любознательную морду, не думая обижаться на резкий окрик хозяина. Она давно научилась распознавать интонации его голоса. Сейчас хозяин был сильно озабочен и больше, чем обычно, нуждался в преданном друге. Анька подошла к нему и осторожно лизнула его руку, выражая всецелую поддержку.

Тубис вышел во двор и подогнал автомобиль к крыльцу. На улице было темно и тихо. Жизнь в уединенном маленьком поселке имела свои достоинства, в частности, отсутствие посторонних глаз. Сан Саныч выволок тело Олеси из дома и положил в багажник.

— Я скоро буду. Сторожи жилище, — приказал овчарке и сел за руль.

Все обитатели поселка — большую часть их составляли старики — уже спали или сидели перед телевизором. Никто не видел, как автомобиль Тубиса выехал на проселочную дорогу и двинулся вдоль лесополосы.

ЧЕЛОВЕК БЕЗ СЕРДЦА

Глава 12

■

— Мама, ну пойдем скорее, кино уже началось, — полненькая симпатичная девочка лет двенадцати сердито дергала за рукав вязаного пальто высокую некрасивую женщину, разговаривавшую по мобильному телефону. Женщине было тридцать четыре года, но выглядела она существенно старше. Правильные по отдельности черты лица в совокупности создавали весьма невзрачную внешность. Скучная прическа и немодные очки еще сильнее портили лицо. С удачным макияжем и аксессуарами женщина могла бы преобразиться в лучшую сторону. Но утомленный вид и бесцветный взгляд говорили о том, что в настоящий момент собственная внешность заботила ее меньше всего.

— Хорошо, Ира, идем, — ответила мать, спрятав телефон и направляясь в зал. Она уже вторую неделю обещала дочери поход в кинотеатр и сегодня наконец сдержала обещание. Сеанс уже начался. Ориентируясь по тусклым лампочкам по краям прохода, они отыскали нужный ряд и заняли свои места. Девочка сразу же уставилась на экран, а ее мать поудобнее устроилась в кресле и закрыла глаза. Целых два часа ее никто не будет тревожить. А значит, она может спокойно подумать о прошлом, настоящем и будущем.

Вероника — так звали женщину — была счастлива в браке. Замуж вышла рано — не по большой любви, а просто потому, что хотела убежать от родительской опеки. Мужа она уважала, а со временем прониклась

131

к нему нежными чувствами. С рождением ребенка не затягивала — уже через год после свадьбы в семье произошло прибавление. В дочке молодые отец и мать души не чаяли, жили мирно и ладно. Не имелось у Вероники поводов для печали. Однако ж нет-нет, да и заходилось сердце в беспокойной тоске, и дрожали руки от невнятной тревоги, и злые горячие слезы наворачивались на глаза. Это происходило каждый раз, когда Вероника вспоминала о родном брате или когда он сам напоминал о себе.

Его звали Вениамин, он был старше сестры на шесть лет. Не такая уж большая разница в возрасте с учетом того, что девочки развиваются быстрее. И все же Вероника постоянно чувствовала разделявшую их пропасть. Они словно находились на разных континентах и при всем желании быть ближе и адекватно общаться не находили общего языка. Брат всегда казался Веронике немного странным. И дело даже не в его неразговорчивости и отсутствии интереса к большинству стандартных вещей, нет. Замкнутость и угрюмый характер брата не сильно тревожили сестру. Беспокоило ее нечто другое. Долгое время она не могла распознать, что именно. Это вибрировало на уровне эмоций, но конкретизировать эти самые эмоции не представлялось возможным. Впервые Вероника приблизилась к разгадке десять лет назад.

Брат никогда не рассказывал ей о своей личной жизни и уж тем более не знакомил со своими подругами. Именно поэтому Вероника хорошо запомнила тот день. Брат позвонил ей — что делал нечасто — и предложил встретиться. Ирочка была в садике, поэтому она собралась быстро. Уже через полчаса она стучалась в квартиру брата. Вениамин открыл дверь и впустил ее.

Из кухни выбежал щенок овчарки и принялся облаивать гостью.

— Что это? Ты завел собаку? — удивилась сестра. — Купил или подобрал? Не замечала за тобой любви к животным.

— Ее зовут Анька, — объяснил Вениамин, не ответив ни на один из ее вопросов.

— Рада познакомиться. — Вероника хотела потрепать щенка по холке, но тот злобно щелкнул зубами и скрылся в комнате. — Какая агрессивная.

— Нет. Она просто защищает меня, — заступился за питомца хозяин. — Проходи на кухню. Я хочу тебе кое-что рассказать.

Такая фраза из уст брата была верхом неожиданности. Вероника молча сняла сапоги и зимнее пальто.

Вениамин снимал двухкомнатную квартиру на первом этаже. Сестра редко приходила в гости, каждый раз чувствовала себя неуютно: этаж был низкий, любой прохожий мог заглянуть в окна, нарушая покой жильцов. Удивительно, но это обстоятельство совершенно не смущало Вениамина. Он отказывался переезжать или хотя бы повесить занавески. Его все устраивало. Даже омерзительные решетки на окнах и постоянная сырость.

Вероника уселась за стол и вопросительно посмотрела на брата. Вениамин замер у подоконника, задумчиво глядя на запорошенный снегом сквер.

— Я встретил женщину, — произнес он. — Думаю, это любовь.

— Правда? Давно? — обрадовалась сестра — не столько самому факту, сколько откровенности брата.

— Два месяца назад.

— У вас все серьезно?

— Да. Мы живем вместе.

Вероника огляделась, не замечая ни единого женского предмета в помещении:

— Где же она? Я бы хотела с ней познакомиться.

— Мы поселились за городом. Там спокойнее. В конце месяца я съезжаю с этой квартиры. — Вениамин снял очки и протер стекла платком. Плохое зрение было их семейной особенностью. Вероника надела очки уже в восемь лет, когда обнаружилась прогрессирующая близорукость.

— Расскажи мне о ней, — попросила сестра.

— Она идеальна. — Вениамин нацепил очки и вновь уставился в окно. В тот день из него больше не удалось выдавить ни слова.

Следующие несколько недель от брата не было ни слуху ни духу. Он объявился неожиданно. Было около восьми утра, когда он позвонил, назвал адрес и попросил срочно приехать. Незнакомые нотки проскальзывали в голосе Вениамина. Вероника не на шутку разволновалась. Обычно она сама отвозила Ирочку в садик, но в тот день попросила мужа. Выбежала из дома и поймала такси.

Это был маленький домик в дачном поселке. Вероника сомневалась, что именно сюда брат привел свою невесту. Грешным делом подумала, что неправильно расслышала адрес, но на крыльце появился Вениамин и призывно махнул рукой. Несколько секунд Вероника не отводила от него недоуменного взгляда: этот мужчина только внешне напоминал ее брата, тогда как все его существо изменилось до неузнаваемости. Зрелище было настолько жутким, что она едва не развернулась, чтобы убежать прочь от страшного наваждения. Усилием воли поборола нелепый порыв и, проморгавшись, снова посмотрела на брата. Померещатся же такие глупости. Она поднялась по ступенькам и зашла в дом.

— Ты хотела увидеть мою невесту, — тихо сказал Вениамин. — Она в той комнате.

Вероника шагнула к распахнутой настежь двери. В крошечной комнатушке, оклеенной старыми выцветшими обоями, на кровати спала женщина. Ее поза сразу показалась Веронике странной — голова откинута в сторону, одна нога неестественно вывернута, волосы над правым виском выстрижены — будто кто-то не церемонясь отрезал локон.

— Она спит! — шикнула на брата, на цыпочках выйдя из комнаты.

— Нет, она не спит, — громко ответил Вениамин. — Она умерла.

— Как умерла? — Вероника опешила. — Это черный юмор?

Брат отрицательно покачал головой. Она кинулась к лежащей на кровати женщине и какое-то время разглядывала ее, ощущая, как постепенно холод окутывает поясницу, а волоски на коже становятся торчком. Женщина не дышала. Она действительно была мертва. На этот раз от внимательного взгляда не укрылись признаки смерти на заострившемся бледном лице.

— Боже мой! — прошептала Вероника, осознавая весь ужас ситуации. Ее брат потерял любимого человека! Какая страшная трагедия! Она кинулась к нему на шею, обнимая и гладя дрожащими руками его затылок. Никогда прежде они не были настолько близки. Все разногласия и обиды отодвинулись куда-то далеко, оставив место искренней, теплой привязанности. И пусть они по-прежнему смотрят на мир под разными углами, их родство ощущалось сильнее обычного. В эту минуту Веронике пришла в голову чудовищно эгоистичная мысль: гибель невесты поможет наладить их отношения. Сейчас он не выглядел отчужденным, сейчас он нуждался в понимании и поддержке. Впервые за много лет Вероника чувствовала, что у нее есть родной брат — не только по крови, но и по духу. Это было восхитительное мгновение, несмотря на трагические причины...

Вероника отстранилась:

— Как это случилось? И когда?

— Сегодня ночью. Она тяжело болела. Я не говорил тебе.

— Но почему она не находилась в больнице, под присмотром врачей?

Вениамин пододвинул стул и сел:

— Врачи бессильны. Тамара хотела умереть дома. Поэтому...

— Боже, какое несчастье! — Вероника снова бросилась к брату, обнимая его за плечи. — Венечка, я очень, очень соболезную твоему горю... Хочешь, я сама займусь похоронами? У Тамары есть родные?

Вениамин поднял спокойные глаза:

— У нее никого не было, кроме меня. Спасибо. Я сам все организую.

В голосе сестры звучало сомнение:

— Ты уверен, что тебе не нужна помощь?

— Уверен.

— Наверное, надо позвонить...

— ...Я все сделаю сам, — прервал ее брат. — Не беспокойся, пожалуйста.

Вероника отступила на несколько шагов назад и беспокойно оглядела Веню. Странное несоответствие читалось в его облике, что-то болезненно неуместное. Она не отводила от него пристального взгляда, чувствуя нарастающую тревогу. Что-то в нем было не так. Не так, как должно быть в столь драматической ситуации.

— Ты в порядке? — спросил Вениамин.

Вероника не ответила, внезапно осознав, что именно показалось ей неправильным. Голос брата был безмятежным, какой бывает у человека поздним утром, когда он просыпается в хорошем настроении, потому что впереди два дня выходных, за окном солнечная погода, а рядом — возлюбленная, принесшая кофе в постель. И тогда он, абсолютно счастливый, говорит: «Спасибо» — самым тихим, самым безмятежным голосом.

Накатил иррациональный, не поддающийся объяснению страх. Вероника продолжала смотреть на брата. На его лице не было скорби. Он не переживал, не страдал. Он испытывал умиротворение. И это пугало сильнее, чем фильмы ужасов, которых Вероника панически избегала.

— Что с тобой? Ты в порядке? — Вениамин повторил вопрос и улыбнулся.

Он улыбнулся! Радостной, лучезарной улыбкой, какой никогда прежде не улыбался. Господи, ее брат ненормален! Она всегда подозревала это, но впервые видела однозначные подтверждения. Разве здорового человека может радовать смерть возлюбленной?

Вероника попятилась и уперлась спиной в дверной косяк. Может, ей померещилась вся эта нелепица? В стрессовой ситуации восприятие меняется. Конечно же, брат страдает, просто хорошо владеет собой. У него стальные нервы, он держится достойно. В отличие от истеричной сестренки, готовой причислить его к когорте классических монстров. Да, он не плачет. Мужчины скупы на слезы. Вероника сделала глубокий вдох:

— Все хорошо. Я просто переживаю за тебя.

— Не нужно переживать, я не для этого тебя позвал.

— А для чего? — Вероника опять насторожилась. — Для чего ты меня позвал?

Вениамин поднялся со стула и встал напротив. Несколько минут рассеянно смотрел в пространство, будто позабыв об ее присутствии. Затем тряхнул головой и взял сестру за запястье:

— Спасибо, что приехала. Пойдем, я провожу тебя до остановки.

ЧЕЛОВЕК БЕЗ СЕРДЦА

Вероника открыла глаза. Мелькали кадры приключенческого фильма, дочь увлеченно жевала попкорн, не отрывая взгляда от экрана. Мать достала мобильный и посмотрела на часы — прошло всего тридцать минут с начала сеанса. Надо же. Казалось, минуло не меньше суток. Возвращение в прошлое всегда нарушает ощущение реального времени.

В тот день, вернувшись домой, Вероника долго приходила в себя. Муж заметил ее состояние, но внятных разъяснений не добился. Она и сама не знала, что с ней происходит. Чувства и здравый смысл противоречили друг другу, вызывая головокружение и тошноту. Лишь спустя несколько дней Вероника отважилась позвонить брату. Но он не брал трубку. Тогда она поехала к нему. Дачный домик был пуст, на заборе висела картонная табличка: «Продается». Больше Вениамин не появлялся.

Первое время Вероника мучилась, виня себя за исчезновение брата. Возможно, ее холодность и недоверие послужили причиной их окончательного разрыва. Она вела себя неправильно. Она думала бог весть какие ужасы о родном человеке в то время, когда он нуждался в моральной поддержке. Брат не мог не почувствовать это. И предпочел отречься от семьи. Вероника ругала себя месяц, год и даже два. А потом постепенно успокоилась и простила себя. В конечном итоге она всегда желала Вениамину добра, и очень жаль, если из-за одной ошибки он решил отказаться от кровных уз.

Однажды, проверяя почту, она увидела письмо. Обратного адреса не было. Но почерк она узнала сразу. Вениамин писал, что переехал в другой город, снял квартиру и устроился на работу. И все в его жизни хорошо. Особенно теперь, когда он встретил настоящую невесту. Он описывал ее краткими, но емкими эпитетами. Клялся, что каждую минуту счастлив, поскольку нашел свою недостающую половинку.

Вероника ликовала. Брат оправился после утраты, заново влюбился и простил глупую сестру. Это ли не повод для радости? Смущало лишь то, что Вениамин предпочел одностороннюю связь, не указав ни адреса, ни телефона. Вероятно, все еще боялся неадекватной реакции сестры. Оставалось надеяться, что однажды он даст ей возможность реабилитироваться.

Через пару месяцев брат прислал второе письмо, в котором сообщал, что невеста его покинула.

Вероника пребывала в растерянности, не зная, как реагировать на это известие. Что значит «покинула»? Они поссорились? Мирно расстались? Невеста бросила его у алтаря? Или... умерла? Брат не уточнял. Несколько сухих строчек не давали шанса понять, что же произошло на самом деле. Вероника нервничала, мучаясь от того, что не может ответить брату. Но семейные заботы вскоре поглотили ее целиком. Доченька подрастала и требовала все больше внимания. Пролетел еще один год, прежде чем Вероника получила третье письмо.

Затем было четвертое, и пятое, и десятое... И каждый раз история повторялась. Сначала Вениамин писал, что встретил свою единственную любовь, а через какое-то время сообщал, что идеальной невесты больше нет. Письма приходили из разных городов —

насколько Вероника могла судить по штемпелю на конвертах. Она не знала — действительно ли брат менял место жительства или специально сбивал с толку адресата. Одно понимала предельно четко: с ее братом творится что-то неладное. Она почти не сомневалась, что он нуждается в психиатрической помощи. Если бы Вениамин сообщил обратные координаты, она бы отыскала его и вызвала на откровенный разговор. Она бы в лепешку расшиблась, но выяснила бы, что происходит с его жизнью.

Брат словно почувствовал ее боевой настрой и перестал писать. Вероника негодовала, ругая его на чем свет стоит: он всегда отличался дурным характером и делал все назло! Даже на расстоянии умудрялся идти на конфликт с родной сестрой. Каждый раз, когда она вспоминала о блудном родственнике, у нее портилось настроение. Невыясненные отношения и отсутствие точек над «i» тяготили и отравляли ее существование.

Ее бесило, что она вынуждена лгать родителям, сочиняя истории о судьбе их сына. Якобы он в арктической экспедиции, занимается научной деятельностью и ему очень редко удается позвонить. Он говорит, что скучает и передает приветы, и клянется, что однажды вернется и попросит прощения за долгое отсутствие. Старенькие родители верили каждому ее слову. Вероника понимала, что поступает правильно, ради их же блага сочиняя желанные сказки. Но на сердце лежал камень, и только брат был тому виной. Ладно бы он бросил ее — нехорошо, но не смертельно. Но разве можно отказываться от матери и отца? Да, на их счет регулярно поступали некие суммы, но этого проявления любви было явно недостаточно для тоскующих родителей. Они бы с радостью обменяли все деньги на возможность увидеть с сына.

Немало времени понадобилось, чтобы справиться с раздражением. Вероника даже в церковь ходила, молилась о душевном спокойствии. У нее почти получилось избавиться от назойливого чувства обиды, хотя рецидивы периодически случались. Тем не менее последние несколько месяцев прошли довольно гладко.

Дочка делала успехи в школе, муж устроился на новую работу, они наконец купили машину, а сама Вероника всерьез задумалась над рождением второго ребенка. Возраст еще позволял, а Ирочка постоянно просила братика. Что ж. Мама и папа были не против. Жизнь вырулила на ровную и комфортную колею — подходящее время для пополнения в семействе. Дышалось легко, в будущее смотрелось с оптимизмом.

Вчера Вероника вытащила из почтового ящика очередное письмо брата. Долго не решалась открыть его, понимая, что снова расстроится. Но любопытство победило. Лучше бы она разорвала проклятый конверт!

Вениамин не сообщал ничего нового. Как обычно, хвалился, что месяц назад судьба свела его с совершенством. Ее зовут Лиза, она молода, черноволоса, кареглаза и упряма. Каждый раз, когда он сжимает ее худые пальцы, его наполняют свет и тепло. Она не отвечает ему взаимностью, но он непременно добьется ее любви. Он всегда добивается своего. Еще никто не ответил ему отказом. Вениамин писал, что мечтает познакомить невесту с сестрой и родителями и сожалеет, что никогда не сделает этого в силу ряда причин. В самом низу страницы стояла коротенькая приписка. Брат любопытствовал, как поживает его племянница: «Ей уже тринадцатый год? Я бы хотел повидаться с ней».

У любого другого человека письмо не вызвало бы особых эмоций. Однако Веронику прочитанное повергло в ступор. Умом она понимала, что нет оснований для столь острой реакции, но подсознание заходилось в истерике. Никогда прежде Вениамин не расспрашивал о племяннице. Так почему же сейчас, когда девочка превращается в девушку, внезапно ею заинтересовался? И что значит «никто не отвечал отказом»? Не родился на земле мужчина, не потерпевший ни единого фиаско. И почему брат одновременно мечтает похвастаться невестой и скрывает ее? Да что с ним не так?!

Вероника знала, что ответ скрывается в далеком прошлом. Однажды она приблизилась к разгадке, но предпочла убежать и забыть — так страшна была правда. Она заблокировала воспоминания, способные пролить свет на неадекватное поведение брата. Эти воспоминания могли разрушить ее психику, именно поэтому Вероника инстинктивно запрятала их глубоко-глубоко. Многие годы она хранила ключ к тайне, но не отваживалась воспользоваться им. Для этого требовались смелость и отчаяние, а Вероника не отличалась отвагой. Кроме того, ей было что терять. Какая мать рискнет своим психическим здоровьем, когда у нее на руках требующий заботы детеныш?

Внезапно нахлынувший страх за своего ребенка заставил Веронику очнуться. И пусть причиной тому было чрезмерно богатое воображение, она физически ощущала исходящую от письма опасность. Каждая строчка сочилась ядом. Поддавшись наваждению, Вероника скомкала листок и кинулась к раковине. Остервенело намыливала ладони, пытаясь смыть токсичную заразу, и погружалась в густой молочный туман, уносивший ее на много лет назад. В тот маленький дачный домик, куда она приехала после звонка Вениамина. И где увидела мертвую Тамару...

Миллиметр за миллиметром Вероника восстанавливала в памяти канувшую в Лету картину. Шаг за шагом, все дальше в прошлое, покуда в темной глубине не замаячила почти разрушенная временем тайна.

Глава 13

∎

Отец сидел в соседней комнате в кресле перед телевизором, делая вид, что смотрит передачу, а сам слушал, о чем разговаривают жена и дочь. Вероника заскочила ненадолго, однако внучка отказывалась уходить, не отведав бабушкиного варенья.

— В самом деле, куда вы так спешите, что даже чаю нельзя попить? — сетовала хозяйка, очень полная круглолицая женщина, накладывая в вазочку малиновое варенье. — На, Иришка, ешь, пока рот свеж!

Вероника улыбнулась, увидев, какими голодными глазами дочка уставилась на угощение. Достала из буфета чашки и поставила на стол. Она действительно торопилась, но десять минут погоды не сделают.

ЧЕЛОВЕК БЕЗ СЕРДЦА

— Пап, ты чай будешь? — крикнула Вероника, наливая в кружки кипяток.

— Буду. — Отец повернулся в сторону кухни. — Только ты мне сюда принеси.

— Конечно. — Вероника добавила в чашку молоко и ложку меда — именно так, как он любил, — и отнесла в комнату. В последнее время у него сильно болела поясница, особенно при ходьбе. Дочь заехала, чтобы отдать лекарства и сделать компресс.

— Ну, какие у вас новости? — спросила мать, постарушечьи подперев щеку кулаком.

— Да все хорошо, мамуль. Ирка, похоже, школьный год на «отлично» закончит по всем предметам. И в кого она такая умная, а?

— В меня, знамо дело, — ответил из гостиной отец и отпил большой глоток чая, скрывая улыбку.

— Конечно. Все хорошее у нас от деда, — рассмеялась мать, подкладывая внучке еще варенья.

Вероника пила чай, слушая, как дочь хвастается своими успехами, уплетая за обе щеки варенье. Может, ум у нее и правда от деда, но вот аппетит точно от бабушки. Надо бы записать ее на спортивную секцию, чтобы двигалась активнее. Негоже в столь юном возрасте иметь лишние килограммы. Впрочем, перед бабушкиным угощением устоять трудно. Уж на что Вероника равнодушна к еде, и то с аппетитом перекусила оладушками с вареньем.

— А что там Веня? Не звонил? Не писал?

Вопрос застал Веронику врасплох. Она машинально кивнула:

— Да.

Мать взволнованно встала, зачем-то сняла фартук, повесила его на гвоздик и обратно села за стол:

— И чего же он?

— У него все нормально. Сказал, что много работает. Передавал вам привет, — кисло сообщила Вероника. Она не успела настроиться на вдохновенную ложь и мысленно ругала себя за поспешный ответ.

Мать закрыла рот ладонью, сдерживая эмоции. Отец напряженно замер, боясь пропустить хоть слово. Вероника понимала, что от нее ждут развернутого отчета, с интересными деталями из жизни блудного сына. Но сейчас она чувствовала себя абсолютно истощенной, и даже мимолетная мысль о брате делала ее еще слабей. Не следовало соглашаться на чай. Нужно было отказаться и уйти, чтобы поскорее осуществить задуманное.

— Мамуль, мне правда нужно бежать. Я позвоню вечером и расскажу подробнее про Веню, хорошо? — Пресекая возможное сопротивление, Вероника взяла дочь за руку и буквально поволокла в прихожую.

— Мам! — сердито фыркнула девочка. — Я еще не доела!

— Лет через пять у тебя появится куча времени поесть, когда ты будешь сидеть дома вечерами, потому что никто не захочет встречаться с толстухой! — сердито бросила Вероника, подавая куртку обиженной дочери. — Одевайся, мы спешим!

Еще несколько дней назад она ни за что не позволила бы себе подобное высказывание. У всех есть свои недостатки, и хороший аппетит — один из самых безобидных. Иришка добрая девочка, и она ее очень любит. Позже Вероника извинится перед ней за неоправданную грубость. Но не сегодня. Сегодня ее волновала более серьезная проблема, не дававшая заснуть уже которую ночь.

Они вышли на остановку и сели в маршрутку. Дочка демонстративно уставилась в окно, давая понять, что не собирается общаться. Вероника откинулась на мягкую спинку кресла, ощущая тревожную усталость.

Брат всегда усложнял ее жизнь. В детстве они не могли провести вместе полчаса, чтобы не поссориться. Но даже сейчас, находясь неизвестно где, он умудрялся омрачать ее существование. Порой Веронике казалось, что она ненавидит его так же сильно, как любит. Он всегда причинял ей неудобства. В юности, когда Вениамин совершал очередную глупость, сестра отмазывала его перед родителями, чтобы те не волновались. Теперь она сочиняет сказки о затянувшейся экспедиции, чтобы хоть как-то оправдать его долгое отсутствие. Иногда Вероника была почти уверена, что отец и мать давно распознали ее ложь, но вопреки здравому смыслу продолжают надеяться. Это угнетало и лишало ее радости. Каждую минуту она чувствовала напряжение и была бессильна что-либо исправить. Она сделала добровольный выбор и намеревалась следовать ему во что бы то ни стало. И ничего бы не изменилось, не получи она очередное письмо. Письмо, заставившее ее содрогнуться от безотчетного страха. И проснуться. Наконец-то проснуться.

Вероника не отличалась хорошей памятью. Она могла смотреть фильм и не отдавать себе отчета, что уже видела его несколько лет назад. Запоминала только что-то действительно важное и необходимое и не понимала тех, кто мучился воспоминаниями прошлого. Ведь если ты жаждешь забыть, то просто прикажи себе забыть. Проблем с самовнушением у Вероники не было. Именно поэтому чудовищная тайна, хранившаяся в подсознании, не тревожила ее. И долго бы еще не тревожила, если бы она не захотела вспомнить...

Маленький домик в дачном поселке уютно темнел среди окружающей белизны. Зима выдалась снежной, сугробы навалило по пояс. От калитки до крыльца вела узкая расчищенная тропинка. Поднимаясь по обледенелым ступеням, Вероника заметила воткнутую в снег лопату. На углу дома висела прицепленная к крыше кормушка для птиц. Было морозно и солнечно. Когда она выдыхала, из носа шел пар. Небо было нежно-голубым и теплым — такое бывает летом на море. Вероника отметила про себя эту странную дисгармонию студеного воздуха и почти жаркого небосвода.

Маленькие штрихи вспыхивали в памяти один за другим с удивительной яркостью. Будто не вспоминалось то, что было давным-давно, а заново переживалось в настоящем.

Впрочем, эти детали были не важны. Разгадка находилась дальше. Вероника прикрыла глаза, перематывая воспоминания на тот момент, когда Вениамин улыбнулся и спросил:

— Что с тобой? Ты в порядке?

Его лучезарная улыбка испугала сестру. Она попятилась, уперлась спиной в дверной косяк и медленно повернула голову в сторону покойницы. Тамара все так же лежала, откинув голову, демонстрируя длинную шею. Но теперь Вероника заметила еще кое-что — следы пальцев на ее горле. Несколько ровных, удлиненных синяков.

При желании можно было найти этому более-менее сносное объяснение. Но впервые в жизни Вероника не испытывала желания придумывать оправдания для брата. Никогда прежде она столь ясно не понимала, кем являлся ее кровный родственник.

Она оглядела крохотную спальню, затем вернулась в кухню и обошла все комнаты. Она изучала каждый сантиметр пространства, придирчиво отыскивая доказательства того, что в доме жила женщина. Тщетно. Это было жилище одинокого холостяка. Вероника не заметила ни одной женской вещи, ни единой безделушки. По словам брата, он жил здесь с невестой уже несколько месяцев. Тогда почему не видно ни Тамариной одежды, ни обуви, ни косметики? Даже вторая зубная щетка отсутствует в ванной.

Вероника снова вернулась в спальню и еще раз посмотрела на мертвую. Кожа на ее запястьях была содрана, как бывает от наручников или жестких веревок.

— Что с тобой? Ты в порядке? — повторил Вениамин. Овчарка, лежавшая у его ног, подняла морду и подозрительно принюхалась.

Вероника глубоко вдохнула:

— Все хорошо. Я просто переживаю за тебя.

Она вышла из дома с твердым намерением навсегда позабыть то, что увидела: страшный сон, который рассеется, едва она приедет домой и обнимет дочку и мужа. Она никогда не вспомнит об этом ужасном дне. И она не вспоминала много лет.

Вероника тронула дочку за локоть:

— Я выйду на следующей остановке, мне нужно кое-куда зайти. А ты поезжай домой, я скоро буду.

Ира промолчала. Мать наклонилась, чтобы поцеловать ее, но девочка резко отвернулась, отчего поцелуй пришелся в висок.

— Я тебя люблю, родная. — Вероника невесело улыбнулась и попросила водителя остановиться у отделения полиции.

На углу обшарпанного трехэтажного здания ее уже ждала старая знакомая Елена. Завидев Веронику, она покачала головой:

— Опаздываешь, дорогая.

— Извини. Задержали.

— Ладно, не страшно. Я сама только выскочила купить что-нибудь на обед. Принесла? — деловито поинтересовалась приятельница.

Вероника открыла сумочку и, достав оттуда тонкий бумажный конверт, протянула его Лене.

Та быстро засунула его в карман короткого пальто и посмотрела на часы:

— Все, я поскакала, перерыв кончается. Завтра-послезавтра ты все получишь. Позвоню тебе.

— Спасибо. Ты меня очень выручишь.

— Без проблем. — Приятельница махнула рукой и побежала к центральному входу городского отделения полиции. Несколько минут Вероника глядела ей вслед, а затем поплелась к автобусной остановке.

ЧЕЛОВЕК БЕЗ СЕРДЦА

Идея возникла внезапно. Для кого-то подобный шаг был бы вполне закономерным, однако Вероника воспринимала его едва ли не как сошедшее свыше озарение. Она не сомневалась в своих подозрениях, но отчаянно нуждалась в их подтверждении. Именно поэтому вчера позвонила своей бывшей однокласснице. Елена работала в правоохранительных органах и могла помочь. Выслушав просьбу Вероники, приятельница даже не удивилась — к ней обращались и с более странными запросами. Деликатничать не стала, сразу назвала конкретную сумму.

— Сама я не имею доступа к нужной тебе информации, но могу попросить своего коллегу, — объяснила Елена. — Но, как ты понимаешь, забесплатно он трудиться не будет.

Вероника согласилась. И сегодня встретилась с подругой, чтобы передать деньги. Оставалось подождать совсем немного.

Следующие сутки Вероника провела как на иголках. Одноклассница не звонила, и к одиннадцати вечера стало ясно, что сегодня ждать больше нечего. Если и будут какие-то новости, то только завтра.

В квартире было тихо: дочь и муж уже спали, а Вероника придумывала себе занятия, лишь бы не ложиться в кровать. Заснуть все равно не получится, а если и получится, то ненадолго и с кошмарами. Будучи неизвестно где, на расстоянии многих тысяч километров, брат по-прежнему умудрялся влиять на ее жизнь. Будь она чуть более хладнокровной и чуть менее чувствительной, давно бы избавилась от его назойливого незримого присутствия. Но Вероника была тем, кем являлась, точно так же, как ее брат. Они слишком отличались друг от друга, и это различие было их главной проблемой и причиной всех разногласий.

Вениамин всегда казался ей слишком рассудительным и спокойным. Прекрасные свойства характера, делающие честь любому другому, проявлялись в нем совершенно невообразимым, нездоровым образом. Спроси у Вероники кто-то, в чем конкретно она видела странность, — вряд ли бы он услышал внятный ответ. Она сама не понимала, что именно раздражало ее при взгляде на родного брата. То, как вдумчиво он играл в шахматы, будто остального мира не существовало, с каким отрешенным видом смотрел сквозь нее, когда она озвучивала свои претензии, как легко располагал к себе людей, от которых ему что-то требовалось, и, отсутствуя десять лет, по-прежнему оставался любимым ребенком, — все это причиняло ей изощренную боль.

С самого детства Вероника чувствовала, что с ее братом что-то не так. Он обитал в обособленном мире, куда она никогда не смогла бы проникнуть. Иногда этот мир представлялся ей неприступной скалой, а иногда — уютным деревенским домом: окна распахнуты, занавески колышет ветер, а дверь призывно открыта и зовет заглянуть внутрь. Вероника делает шаг, хватается за ручку и внезапно осознает, что какая-то таинственная сила не позволяет переступить порог. Она подбегает к окошку в надежде увидеть светлую кухоньку и доброжелательного хозяина, но не видит ничего: леденящая темнота рвется из окон, ослепляя незваного зрителя. Вероника вскрикивает и бежит без оглядки, ненавидя себя за глупую попытку проникнуть в голову Венечки.

Ее бесил и оскорблял тот факт, что родной брат оставался для нее загадкой, тогда как ее собственные мысли он считывал, не напрягаясь и даже не желая этого. Ему были безразличны тревоги сестры. Он ставил себя выше будничной суеты, возможно потому, что ему все слишком легко давалось. Еще в школе, чтобы получить хорошую оценку, Веронике приходилось часами корпеть над учебником. Венечке же было достаточно десяти минут, чтобы вникнуть в суть предмета. Видя мучения сестры, он ни разу не предлагал свою помощь — не из-за жестокосердия или равнодушия, а просто потому, что такие мелочи не занимали его. Если бы Вероника попросила, Вениамин, конечно бы, помог. Но девочка не хотела унижаться до просьб.

Вероника сидела за кухонным столом в темноте, упершись подбородком в сомкнутые ладони, и ощущала, как вспыхивают с новой силой все детские обиды и недомолвки.

Ей десять. Брату шестнадцать. Он сидит за шахматной доской, анализируя сыгранную с тренером партию. Вероника пристроилась рядом, наблюдая за непонятными движениями черных и белых фигур. Она терпеливо ждет, когда брат закончит, а затем спрашивает:

— Ты научишь меня?

— Зачем тебе? — удивляется Вениамин, складывая шахматы в коробку.

— Я буду с тобой играть, — объясняет она, уже предчувствуя назревающий конфликт.

— Играй в куклы. Шахматы ты не потянешь.

— Почему? Ты же потянул!

Брат снисходительно улыбается:

— Я умнее тебя.

Вероника хмурится, удерживая подступающие слезы:

— Научи меня! И я тебя обыграю!

— Хорошо, — внезапно соглашается Вениамин и расставляет фигуры на доске. — Это пешка. Она ходит вот так...

Через час Вероника убеждена, что знает уже достаточно, чтобы составить достойную конкуренцию брату. Они начинают партию. Вениамин выигрывает спустя минуту. Они играют вторую партию, третью, четвертую, пятую. После десятого проигрыша Вероника плачет навзрыд и убегает в свою комнату.

Ей горько не из-за того, что брат оказался умнее. Разумеется, он умнее — и не только потому что старше, но и просто по факту. Горько оттого, что у всех подружек старшие братья души не чают в младших сестренках, балуют их, и если начинают с ними играть — обязательно поддаются. А Венечка общается с Вероникой, как со взрослой. Меньше всего ей хочется ощущать себя взрослой рядом с ним. Она мечтает о том, чтобы ее развлекали, а не заставляли проигрывать одну партию в шахматы за другой.

ЧЕЛОВЕК БЕЗ СЕРДЦА

Ей шестнадцать. Она впервые поцеловалась. Несколько дней она хранит тайну, а затем решается признаться брату. Он, конечно же, отреагирует не так, как ей мечтается. Вряд ли Венечка отложит все дела и обратится в слух, дабы не пропустить ни детали увлекательной истории. Вероника уже не маленькая и отлично изучила брата. Но повод слишком серьезен, чтобы молчать.

Она стучится в дверь его комнаты и сразу же входит. Вениамин сидит за столом и что-то пишет.

— Веня, мне нужно сказать тебе что-то. — Вероника робко садится на кровать, стыдясь оторвать от пола глаза. Ей невыносимо хочется поделиться одним из важнейших событий в ее жизни. Подругам такое не расскажешь — они уже все давно перецелованные, еще засмеют за поздний опыт. — Только обещай никому не говорить.

— Ты поцеловалась? — говорит Вениамин, не отрываясь от тетради. — Молодец.

— Молодец? — переспрашивает сестра. Ее зрачки расширяются от негодования. — Молодец?!

Мало того, что брат лишил ее возможности самой произнести трепетное признание, так еще ограничился самым нелепым из всех комментариев!

— Почему ты всегда все портишь? — ее голос звенит от обиды. — Почему нельзя притвориться, что тебе интересно и ты за меня счастлив?

Парень закрывает тетрадь и поднимает на сестру сочувствующий взгляд:

— Почему ты всегда обвиняешь меня в том, что я и мыслю и чувствую по-другому? Почему ты считаешь, что наши взгляды должны непременно совпадать? Я тебя люблю. Мне безразличны твои девчачьи дела. Но я тебя люблю.

Несколько секунд Вероника растерянно смотрит на брата, почти осознавая свою неправоту. Она готова сказать ему, что тоже любит его и впредь постарается не забывать, что они разные люди и чувства проявляют тоже по-разному. Она открывает рот, но так и не произносит ни звука — Вениамин снова пишет в тетради, позабыв о присутствии сестры.

Возможно, они разные люди. Возможно, он и правда любит ее. Но почему его любовь так похожа на равнодушие?

Ей семнадцать. После трудных вступительных экзаменов в институт она узнает, что зачислена. Списки висят на стене у центрального входа в главный корпус. Вероника пробивается сквозь толпу абитуриентов и их родителей и находит свою фамилию. Это не просто удача. Это результат целого года мучений.

В прошлом году, поступая на этот же факультет, Вероника набрала проходной балл. Помимо нее проходной балл набрали на пять абитуриентов больше, чем необходимо. Деканат путем лотереи отобрал пять неудачников и предложил им обучение на платной основе. Веронике не повезло. Свободными деньгами родители не располагали, но мама заняла нужную сумму и вместе с дочкой поехала в институт, чтобы оплатить первый год обучения. Они надеялись, что после первого курса появится шанс перевестись на бесплатное отделение. За год они бы заработали денег и отдали долг.

ЧЕЛОВЕК БЕЗ СЕРДЦА

В троллейбусе была толкотня, выйдя на остановке, мать и дочь вздохнули с облегчением. Всего несколько минут отделяло Веронику от звания студентки. Но у двери в деканат она обнаружила, что мамина сумка разрезана. Карманник вытащил все деньги.

Сложно сказать, кого Веронике было жальче — себя или родителей. Ощущение вселенской несправедливости навалилось на нее тяжелой ношей, девочка уперлась спиной в стену и сползла на пол. Слезы душили ее. Казалось, жизнь кончилась и незачем больше бороться, и некуда больше идти. Мама стояла рядом и безутешно плакала, вытирая платочком покрасневшие глаза. Она словно постарела на несколько лет, обычно расправленные плечи поникли и сотрясались от беззвучных рыданий. О, как глубоко, как яростно ненавидела Вероника весь этот мир, где страдают не самые плохие, а наслаждаются не самые хорошие.

Ей не хотелось жить. Она устала держать себя в руках. Внушать себе, что счастлива верить в это, а потом, когда счастье постепенно улетучивается, снова внушать... Вероника знала, что ее сопли никому не нужны и это не трагедия, это просто жизнь, какая она есть. Нужно подниматься и идти дальше. Но для этого требовались силы.

Две недели Вероника не выходила из дома, утратив интерес к окружающей действительности. А потом поехала в институт и подала документы на подготовительное отделение — рабфак, — чтобы в следующем году набрать балл гораздо выше проходного и уже наверняка стать студенткой. Она училась осень, зиму и весну. Училась так, словно от этого зависела ее жизнь. Титанические усилия не прошли даром.

Вероника стала первокурсницей. Она бежит домой и сообщает родителям долгожданную новость. Мать и отец ликуют от радости. Брат заходит на кухню и, глядя на всеобщий восторг, пожимает плечами.

— Было же очевидно, что на этот раз Вероника поступит.

— Ты что, не рад за меня? — Она вырывается из маминых объятий и недоуменно моргает.

— Рад, — улыбается Вениамин. Открывает холодильник, достает масло и сыр и делает себе бутерброд.

— Ты ешь!

— Да.

— У меня грандиозное событие, а ты ешь! — не унимается Вероника.

— Я голоден, — невозмутимо отвечает Вениамин и откусывает от бутерброда.

— Там супчик есть, Венечка, — встревает мать. — Разогреть тебе? В самом деле, уже обедать пора. Вероничка, включай плиту и доставай тарелки.

И Вероника включает плиту, достает тарелки, понимая, что ее праздник сорван, но никому до этого нет никакого дела. А брат даже не хочет попытаться понять, чего стоила ей ее победа.

Вероника посмотрела на висевшие над холодильником часы. Второй час ночи. Пора отправляться в постель. Нужно постараться заснуть. Хотя бы ненадолго.

ЧЕЛОВЕК БЕЗ СЕРДЦА

На следующий день после обеда позвонила одноклассница и сообщила, что все готово. Они встретились на прежнем месте.

— Вот тут вся информация по нужному тебе году, — вместо приветствия сказала Елена, протягивая тонкую синюю папку. — Не знаю, зачем тебе это понадобилось, но надеюсь, поможет.

Вероника взяла папку и тут же завела руку за спину, чтобы приятельница не заметила, как дрожат ее пальцы. Она так сильно нервничала, что едва держалась на ногах. Хотелось поскорее попрощаться, отыскать скамейку и спокойно посидеть, восстанавливая душевное равновесие.

— Спасибо, Лена, — с усилием произнесла Вероника. — Очень тебе признательна.

— Не за что. Всегда приятно помочь старым знакомым. — Елена достала из кармана мобильный и посмотрела на часы. — У меня есть минут двадцать, хочешь, посидим где-нибудь, попьем чаю?

Вероника изобразила искреннее сожаление:

— Извини, мне надо бежать. Опаздываю на школьное собрание.

— Да? Ну ладно, в другой раз, — не слишком расстроилась Елена. — Звони тогда.

— Конечно. Удачи. — Вероника улыбнулась и заспешила к пешеходному переходу. Миновав перекресток, оглянулась: Елена уже вошла в здание, значит, можно не торопиться. Она нырнула в стеклянную будку остановки и тяжело опустилась на холодную металлическую лавку.

Стоял ветреный майский день, солнце то пряталось, то выглядывало из-за рыхлых облаков, а воздух пах не весной, а поздней морозной осенью. Вероника сомкнула веки и представила, что вокруг сугробы, деревья покрыты искрящимся инеем, а окна проезжающих мимо троллейбусов светятся ледяными узорами. И нужно всего лишь встать и сделать несколько шагов, чтобы под ногами зазвучала хрустящая снежная музыка.

Вероника открыла глаза и посмотрела на лежавшую на коленях папку.

На остановке никого не было. Только голуби вертелись возле урны, деловито потроша валявшийся на земле кусок батона. Вероника открыла папку. Внутри лежало несколько листов формата А4. Она бегло пробежала по строчкам.

«В 2003 году в подразделениях МВД России по городу... зафиксировано 215 заявлений по факту безвестного исчезновения граждан... из них разыскано 213 человек... двое до сих пор не найдены...»

Далее шли две ксерокопии листовок о розыске тех самых двоих человек, которые до сих пор значились без вести пропавшими. На первой был изображен некрасивый мужчина средних лет. Майков Арсений Николаевич, 1961 года рождения, уроженец такой-то области, проживающий по такому-то адресу, 23 марта 2003 года ушел из дома и до настоящего времени не вернулся...

Из подъехавшей на остановку маршрутки вышли несколько человек, разбрелись в разные стороны. Водитель подождал пару секунд и тронулся с места. Спугнутые голуби вновь слетелись к хлебу, торопясь отщипнуть лакомый кусочек.

Вероника вернулась к содержимому папки, перевернула страницу и прочитала:

«Разыскивается без вести пропавшая Зубцова Тамара Дмитриевна, 1977 года рождения, которая 12 декабря 2003 года не вернулась домой.

Приметы: рост 168 см, худощавого телосложения, волосы серо-русые, глаза голубые. Была одета: черное длинное пальто, серая вязаная шапка».

Ксерокопия фотографии была довольно отчетливая. Вероника узнала это лицо. Прошло столько лет, но оно до сих пор не стерлось из памяти.

Глава 14
∎

— Если бы вы согласились увеличить скидку, скажем, на пару процентов, мы бы незамедлительно подписали договор купли-продажи. — Клиент на другом конце провода предлагал выгодные условия, еще три дня назад Сан Саныч согласился бы, не раздумывая. Такие крупные сделки нельзя упускать. Но сейчас сосредоточиться на работе у него получалось все хуже и хуже. Часы тикали, и каждая секунда работала против Тубиса. Нужно было срочно перевозить Лизу в другое место, но, как назло, не попадалось ни одного подходящего помещения, которое можно было бы арендовать быстро, без бумажной волокиты. Тубис посмотрел уже четыре дома в соседних поселках, но все впустую. Где-то отсутствовали условия для содержания пленницы, где-то владелец проявлял слишком много любопытства, где-то сроки аренды его не устраивали...

Оставались еще максимум сутки на безопасные поиски. После чего начинался серьезный риск. Без оснований полиция с обыском не нагрянет. Но основания имеются, черт побери эту глупую влюбчивую ворону!

— Алло? Вы меня слышите? — повторил клиент. — Вы согласны на наше предложение?

Тубис посмотрел на часы. До конца рабочего дня оставалось еще три часа, после чего он помчится по двум адресам, на которые возлагал последнюю надежду.

— Да, ваше предложение разумно. Будем оформлять покупку.

Менеджер по продажам положил трубку и принялся подготавливать необходимую документацию. Мысли его витали далеко.

Он никогда никого не убивал. Да, он расставался со своими невестами, но это был естественный, закономерный процесс развития отношений. Любовь сходила на нет, оставляя после себя приторный вкус воспоминаний. Когда истончалась душевная нить, связывавшая две родственные души, близость физических тел утрачивала смысл. Что есть внешняя оболочка, если горевший внутри огонь угас? Сан Саныч жил ради любви, и его невесты тоже жаждали этого священного чувства. Каждый раз он верил, что встретил ту самую, единственную, предназначенную ему судьбой. И каждый раз убеждался, что ошибся. Нет, он не удерживал ускользающую любовь. Это было бы равносильно тому, чтобы год за годом не отключать

162

аппарат жизнедеятельности организма, не способного существовать самостоятельно. К чему продлевать агонию? Он позволял невестам уйти. Это не убийство. Это эволюция.

С Олесей все произошло иначе. Ее Тубис действительно лишил жизни. И этот факт не давал ему покоя, отбирая сон, заставляя вновь и вновь прокручивать в голове отвратительную сцену убийства.

Девчонка смотрела на него такими доверчивыми, ясными глазами. Она была слаба, смущена и невинна. Если бы только существовало другое решение, он бы воспользовался им без колебаний. Но другого решения не было. Тубис понимал, что поступил правильно, избавившись от опасного свидетеля. Но чувствовал себя так, будто утопил котенка.

Сан Саныч не считал себя плохим человеком. Помилуйте, да он во сто крат лучше большинства людей, тратящих драгоценную жизнь на запреты и ограничения. Он дышит полной грудью, наслаждаясь гармонией и упоительным чувством свободы. Он ставит цели и добивается их. Он отличается от серой массы мечтателей, которые так и просидят перед телевизором до глубокой старости, не пошевелив пальцем, чтобы материализовать свою мечту. Он умеет не только желать, но и получать желаемое. Это ли не признак счастливого человека? Тубис и был счастлив. Покуда глупое юное создание не ворвалось в его мир, нарушив выстроенный годами порядок.

И ладно, если бы последствия этого вторжения ограничивались только необходимостью замести следы и отвести от себя подозрение. Тубиса не пугали критические ситуации, он умел мгновенно ориентироваться и выбирать наилучший вариант действий. Несмотря на злость и напряжение, Тубис не сомневался в благополучном исходе дела. Его смущало не положение, в котором он поневоле оказался, а внутренний дискомфорт. Он совершил преступление, и в этом было мало приятного. Тубис осознавал, что поступил плохо. Теперь уже не получится считать себя безупречной гармоничной личностью.

Сан Саныч встал из-за стола и отнес секретарше бумаги, попросив отправить их по факсу, после чего вышел на лестницу, спустился на первый этаж и купил яблочный сок. Возле буфета его остановила сотрудница отдела кадров.

— Александр Александрович, уделите мне минутку, пожалуйста? — молодая женщина выглядела озабоченной.

— Да. Чем могу быть полезен?

Они отошли в сторону.

— У меня к вам деликатный вопрос...

— Я вас слушаю.

Маша Попова замялась, не зная, как лучше начать.

— Вы знакомы с Олесей из бухгалтерии?

Пальцы крепче сжали бумажный пакетик с соком, однако на лице Сан Саныча волнение не отразилось.

— Разумеется, знаком.

Собеседница нервно кашлянула:

— Она уже третий день не выходит на работу. На мобильный не отвечает. Я звонила ей домой, мать паникует, говорит, что не знает, где дочь. — Маша перевела дыхание и продолжила: — Мы с Олесей подруги. Обычно она держит меня в курсе своих намерений.

Он выразительно молчал, давая понять, что ждет дальнейших объяснений.

— Олеся не приезжала к вам в гости во вторник вечером? — выпалила Маша, чувствуя себя полной идиоткой.

— Приезжала, — спокойно ответил Тубис. — У нас состоялся короткий разговор, а затем я подбросил ее до ближайшей автобусной остановки. Было уже поздно и холодно, она бы замерзла, пока дошла до трассы.

Девушка оторопело взирала на него, сама не понимая причин собственного изумления. Она подозревала, что подруга не откажется от своего плана и наверняка выследит своего героя. Маша практически не сомневалась, что во вторник после работы Олеся отправилась в гости к Тубису, но почему-то удивилась, когда тот подтвердил ее догадку. Высокомерный необщительный коллега никогда не нравился Поповой, и будь Олеся чуть более внушаемой, давно бы уговорила ее отказаться от затеи с соблазнением. Внезапное исчезновение подруги пробудило в Маше бурную фантазию. Она успела вообразить самые чудовищные истории, где главная роль отводилась менеджеру по продажам, который с наступлением сумерек превращается в маньяка, убивающего влюбленных в него девиц. Перед глазами разворачивалась ужасающе красочная картина того, как убийца впускает в квартиру романтически настроенную жертву и тут же начинает кромсать ее ножом.

«Нужно поменьше смотреть криминальные новости», — мысленно упрекнула себя Маша. Ее собеседник не выглядел напряженным и, судя по всему, ничего не утаивал. Тубис по-прежнему не вызывал у девушки симпатии, но подозрения уже не крутились в ее голове. Он ни на секунду не задумался над ее вопросом, ответил сразу же, прямо, без недомолвок. Глупо лепить злодея из самого заурядного типа.

— То есть я могу сообщить полиции, что, скорее всего, вы были последним, кто видел Олесю? — спросила Попова.

— Разумеется. Я готов содействовать следствию, если вдруг моя информация окажется полезной. — Тубис достал из кармана клетчатый платок, снял очки и протер абсолютно чистые линзы. — Однако же я верю, что ваша подруга скоро объявится живой и здоровой и приведет разумные объяснения своего отсутствия. А теперь, если позволите, мне нужно идти. Полагаю, мой мобильный телефон у вас есть. На случай, если я понадоблюсь для дачи показаний.

Тубис поднялся к себе в кабинет, плотно закрыл дверь и тяжело опустился в кресло. Он был трижды прав, решив подстраховаться и перевезти Лизу в безопасное место. Слишком много следов вело к его уютному дому.

Избавившись от тела Олеси, Тубис вернулся в поселок, планируя отогнать подальше ее автомобиль. Он облазил всю прилегающую местность, но машину не обнаружил. Значит, девчонка сказала неправду. Логика в этой лжи отсутствовала, но кто ж потребует логики от слабой половины человечества? Скорее всего, Олеся испугалась и ляпнула первое, что пришло на ум. Приехать она могла исключительно на такси, что весьма осложняло ситуацию.

Если она вызывала такси по мобильному телефону или даже по рабочему стационарному, то рано или поздно полиция выяснит, какой именно водитель и куда подвозил без вести пропавшую девушку. Даже если шофер не видел, к какому дому подошла пассажирка, не составит большого труда сопоставить некоторые детали и сделать определенные выводы.

Юная особа вечером едет в поселок, где обитает коллега по работе, к которому, со слов свидетельницы, та питает нежные чувства. После визита к мужчине девушка исчезает. Вопрос: на кого падет подозрение?

Конечно, есть надежда на то, что Олеся поймала попутку. В таком случае вероятность вычислить Тубиса крайне мала. Но рисковать Сан Саныч не мог. Поэтому, когда сотрудница отдела кадров задала ему прямой вопрос, не стал отпираться. После таких показаний его наверняка тщательно проверят, но доказательств причастности к преступлению не найдут. Сотовый телефон Олеси Тубис выбросил в снег возле автобусной остановки, где якобы оставил непрошеную гостью. Дома произвел генеральную уборку, вытерев все поверхности, к которым гипотетически могла прикасаться Олеся. Пришлось повозиться и с машиной, на которой перевозил тело. Чтобы багажник не сиял подозрительной чистотой, забил его полезным для автолюбителя хламом.

Тубис избавился от любых намеков на свою причастность к пропаже Олеси. Однако в подвале его дома томилось живое свидетельство другого преступления. Вот это действительно являлось проблемой.

Поселок был немаленький, с населением около пяти тысяч, но сам дом, выставленный на съем, не отличался большими размерами, хотя стоил немало из-за внушительного участка. Тубис внимательно осмотрел внутренние помещения — веранду, кухню и две комнатки. Ремонт отсутствовал, удобства тоже, вместо центрального отопления — обшарпанная печка, но на аренду Тубис согласился не задумываясь. Во-первых, владелец не требовал паспорта, удовлетворившись платой за три месяца вперед, а во-вторых, в доме имелась комнатушка без окон. Как объяснил хозяин, раньше он использовал ее как фотостудию, где проявлял любительские снимки, а затем превратил в чулан. Сейчас помещение пустовало — и Тубис точно знал, какое применение ему найдет.

— Вы можете гарантировать, что не позволите себе неожиданных визитов? Я не люблю, когда вторгаются в мою личную жизнь без предварительного звонка, — сообщил новый жилец, получив на руки ключи.

— Само собой, что ж мы, правил не знаем, — лихо отрапортовал хозяин, дыхнув перегаром. — Живите в свое удовольствие!

Той же ночью Тубис перевез Лизу в новую тюрьму. В доме было холодно, пришлось растопить печь, благо в сарае обнаружились дрова. Кровать в комнате не поместилась, он положил матрас прямо на пол, набросал сверху теплые одеяла и подушки, чтобы невеста не замерзла. Хорошо, что лето не за горами, зимой здесь пришлось бы туго. В углу поставил биотуалет, а с наружной стороны двери наскоро привинтил засов. Пару-тройку недель перекантуются в этой дыре, а там, глядишь, можно будет вернуться.

Лизина болезнь шла на убыль — подействовали таблетки. Тубис так и не понял, какой недуг сразил возлюбленную, поэтому купил антибиотики широкого спектра действия. Пленница все еще была слаба, не разговаривала, не проявляла интереса к происходящему. Оно и к лучшему. Сейчас ее активность и буйный нрав только усложнили бы ситуацию.

Сан Саныч укутал Лизу, поправил подушку и поставил у изголовья пластиковую бутылку с водой. Сегодняшнюю ночь невесте придется провести в одиночестве, потому что у него очень много дел. Он погладил ее по голове, поцеловал влажный висок и поспешно удалился, не забыв запереть дверь.

На улице было свежо. Сырой пронизывающий ветер пробирался под одежду, ветви деревьев раскачивались с тихим скрипом, где-то в конце огорода хлопала тепличная пленка. Некоторое время Тубис стоял неподвижно, очарованный кинематографичностью мгновения, а затем двинулся к машине, прикидывая в уме последующие действия.

Глава 15
∎

А ведь удивления не было. Омерзение, гадливость и мутноватая, тоскливая скорбь — да, а удивление — нет. Вероника давно догадывалась, что с Веней не все в порядке. Но не имела достаточно смелости раз и навсегда подтвердить свое подозрение. Вениамин был ее единственным братом. Несмотря на все его странности, она не могла и не хотела отказаться от родственных чувств. Вот и сейчас, держа в руках прямое доказательство совершенного преступления, Вероника понимала, что в ее отношении к Вене ничего не изменилось. Она любила его по-прежнему — странной, болезненной любовью. И по-прежнему ненавидела — за то, что являлся не тем, кем ей хотелось.

А была такая хорошая семья. Мать, отец, сын и дочь. Вениамин мог жениться и нарожать детишек, и Вероника бы с радостью возилась с племянниками, а Ирочка бы ей в этом помогала. Они бы жили в одном городе и раз в месяц непременно встречались бы, и все вместе гуляли в парке или ездили на шашлыки... И не существовало бы тайн и мучительных недомолвок, и обида не терзала бы сердце; и жизнь была бы простой и по-хорошему незамысловатой.

Не слишком оригинально винить других людей в своих бедах. Но что делать, если иногда эти другие действительно виноваты? Вероника мечтала о нормальной семье, но брат сделал все, чтобы ее мечта не осуществилась. Вернее, он и не делал ничего специально. Просто жил в соответствии со своими идеалами, неприемлемыми для обычного человека, и ведать не ведал, что причиняет кому-то страдания.

Если бы странная обособленность Вениамина объяснялась умственной неполноценностью, Вероника простила бы его — мгновенно и искренне. Но его мозг функционировал безупречно. Брат был умен. Пожалуй, слишком умен для того, чтобы быть понятым окружающим миром. Он жил по собственным законам, но не афишировал этого, осознавая возможный риск. Ему удавалось обманывать многих. Мало кто видел за скромной серой маской его настоящую личность. Вероника видела. И это пугало ее.

Вениамин не был роботом, променявшим чувства на холодную рассудочность. В нем кипели желания и эмоции. Но каким-то алхимическим способом его желания и эмоции преломлялись в аномальную расчетливость. В юности, наблюдая за братом, Вероника никогда толком не понимала: он действительно чего-то самозабвенно жаждет или ставит сложные задачи ради тренировки ума.

Не понимала и сейчас, глядя на фотографию пропавшей без вести женщины. Той самой Тамары, которую она увидела мертвой в спальне брата десять лет назад.

Почему Вениамин похитил эту несчастную?

Он был силен, статен и неглуп и при желании покорил бы любую женщину. И тем не менее сознательно пошел на преступление, абсолютно нерациональное с точки зрения адекватного человека.

Вероника всегда превозносила Вениамина. Не понимала, обвиняла, но все равно считала его выдающейся личностью. Лишь теперь она осознала, что ядро этой выдающейся личности составляет не столько острый ум, сколько тяжелая, неизлечимая болезнь. Совершенно очевидно, что брат нездоров и нуждается в психиатрической помощи. Именно болезнь послужила причиной его чудовищного поступка.

Мысль о ненормальности брата была логичной. И все-таки Вероника пыталась рассмотреть все воз-

ТАТЬЯНА КОГАН

можные варианты, даже самые неправдоподобные. Например, страсть Вениамина к Тамаре была столь неистова, что постепенно добиваться ее взаимности у него не хватило терпения.

Как ни нелепа была гипотеза, Вероника могла принять ее. В таком случае резонно возникал вопрос: зачем понадобилось убивать возлюбленную? Если допустить, что Вениамин помешался на Тамаре настолько, что отважился нарушить границы морали и рискнуть своей свободой, то разумно было бы удерживать ее подле себя, а не лишать жизни. Экзальтированность чувств и временное помрачение рассудка случаются очень часто — в дамских романах. В жизни все немного проще и циничнее. Как ни металась Вероника от одного варианта к другому, единственным толковым объяснением оставалось общее расстройство психики.

Чем дольше Вероника размышляла об этом, тем больше запутывалась. Ненормальный братец мог иметь десятки причин для убийства, но она наверняка не угадает ни одну из них. Его мозг работал на ином уровне. Она чувствовала себя первоклассницей, листающей учебник высшей математики. Цифры ей знакомы, и даже некоторые слова. Но их значение постичь нереально.

Не укладывалась в голове и еще одна деталь: зачем, убив невесту, Вениамин позвал сестру на место преступления? Он не казался растерянным и поникшим и не нуждался в сочувствии, а скорее напоминал спортсмена, победившего в соревновании и жаждущего похвастаться своим достижением. Боже мой, брат на самом деле гордился своим поступком. Гордился настолько, что спешил поделиться своими эмоциями с сестрой — чего прежде никогда не делал. Стоял, с любопытством наблюдая за Вероникой, и жадно ловил ее реакцию. А она-то, дура, ничегошеньки не поняла тогда. Только ощущала дискомфорт и желание поскорее убежать из страшного дома, где на смятой постели лежала мертвая женщина.

Не получив от сестры ожидаемого отклика, Вениамин обиделся — впервые в жизни. Удивительно: нечеловеческий поступок добавил ему человечности. В первый и последний раз Вероника стала свидетелем слабости брата. После той встречи зимним утром они больше не виделись.

И все-таки сестра оставалась единственным человеком, с которым Веня желал быть откровенным. Без возможности поговорить о содеянном преступник страдает подобно актеру, лишенному зрителей. Счастье превращается в муку, когда о нем некому рассказать. Вениамин нуждался в слушателе. Именно поэтому год за годом писал ей письма.

Не существовало доказательств того, что всех женщин, упомянутых в его посланиях, Веня похищал и убивал. Но с каждым днем ее уверенность росла, и Вероника уже не сомневалась, кем именно был брат. Иногда знание приходит прежде, чем становятся ясны все причинно-следственные связи. Странно, что Вероника, не отличавшаяся стойкостью, не впала в шоковое состояние. Возможно, потому, что все эти годы она подсознательно готовила себя к чудовищному откровению.

Она приписывала брату едва ли не гениальность, а он являлся обычным психопатом, которого следовало изолировать от общества!

Одна правда обрушивается быстро и бескомпромиссно, как лезвие гильотины. А другая опутывает тебя медленно и незаметно, как наползающий с болота туман. Многие годы Вероника брела по дороге и не обращала внимания, как все глубже погружается в ядовитое облако. Когда, наконец, странница остановилась и огляделась, вокруг не было ничего, кроме вязкой белой мглы. Куда ни повернись, куда ни шагни — нет просвета, нет пути.

Вероника не хотела думать, куда бежать и как жить дальше. Она слишком устала для решительных действий. Была только одна задача, не терпящая отлагательства. На ней и следовало сосредоточиться.

— Мама? А ты почему дома? — спросила дочь, вернувшаяся из школы.

— Прогуливаю работу, — вяло улыбнулась та и включила плиту, чтобы приготовить обед.

— Вот это да. А можно я завтра школу прогуляю? — Ира взяла со стола овсяное печенье и смачно хрустнула.

— У тебя через неделю летние каникулы начинаются. Какой смысл? — Вероника вывалила в раковину несколько крупных картофелин и принялась чистить.

— А что это у тебя такое? — девочка указала на лежавшую на кухонном столе синюю папку.

— Документы с работы, — ответила мать, подавив желание схватить папку и спрятать ее подальше. — Ничего интересного.

Девочка вздохнула, прихватила еще одно печенье и пошла в свою комнату переодеваться.

Вероника достала из духовки сковородку, налила подсолнечного масла и порезала картошку длинными тонкими ломтиками. Обычно она готовила более здоровую и менее жирную пищу, но сегодня думать о гастрономических изысках хотелось меньше всего.

Во время обеда дочка без умолку болтала, рассказывая о школьных делах, о предстоящем выезде на природу с классом, о вечеринке у подружки дома... Мать одобряюще кивала, не слыша ни единого слова.

— Какая-то ты сегодня странная, — повторила Ира. — Я тебе вру про тусовку с мальчиками из старшего класса, а ты молча соглашаешься.

— Да? Извини, пожалуйста, — спохватилась мать. — Разумеется, никаких взрослых мальчиков, о чем ты вообще говоришь?

— Вот это уже больше похоже на мою маму. — Ирочка встала со стула и посмотрела в окно. Светило солнце. — Я пойду погуляю. Посуду потом помою, ладно?

— Ладно.

— Нет, все-таки что-то с тобой не то, — озабоченно буркнула девочка, торопясь сбежать из дома прежде, чем мать очнется и заставит ее, как обычно, убрать со стола.

Вероника долила в кружку кипятка, отрезала дольку лимона, задумчиво пососала ее и вдруг вскочила с места, едва не опрокинув стул.

Влетела в спальню, выдвинула нижний ящик прикроватной тумбочки и под кипой бумаг и дисков нашла прозрачный файл с письмами брата. Открывала один конверт за другим и перечитывала знакомые строчки. Непонятное волнение охватило ее, она чувствовала, что вот-вот найдет нечто важное. Вновь и вновь пробегала взглядом по исписанным мелким почерком листам, пытаясь разглядеть то, что раньше упускала. Она прочитала каждое письмо по несколько раз — поверхностно и поспешно, вдумчиво и медленно, спокойно и почти срываясь на истерику.

Вениамин сообщал немного, мастерски дозируя информацию. Ни одного лишнего слова и детали. Все послания похожи, будто написаны под копирку. Разве что порядок предложений варьировался да синонимы употреблялись. И все же последнее письмо отличалось от предыдущих. Стиль повествования не изменился, и фразы попадались знакомые, но кое-что существенно выбивалось из общей схемы. И как это раньше она не заметила? В последнем письме брат впервые называл невесту по имени и описывал ее внешность. Судя по всему, новая возлюбленная являлась кем-то особенным. По крайней мере, так считал брат.

Вероника посмотрела на штамп на конверте — письмо отправлено из Москвы. Если прикинуть, сколько оно шло, учесть, когда произошло знакомство с невестой («около месяца назад»), предположить, что Вениамин сейчас живет в столице... То можно попробовать... Только попробовать... Без гарантий...

Вероника бросилась к компьютеру и включила его. Система загружалась мучительно долго, не хватало никакого терпения. Резко разболелась голова.

ЧЕЛОВЕК БЕЗ СЕРДЦА

Отыскать в аптечке таблетку потребует слишком много времени. Процессор отрывисто пикнул, монитор приветливо замигал, Вероника открыла браузер и вошла на нужный сайт. В строке поиска написала:

«Елизавета Москва пропала без вести апрель 2013».

Надежды практически не было. Но стоило попытаться.

«Нашлось 2 млн ответов», — безрадостно прочитала она и принялась открывать страницы, примерно соответствовавшие запросу.

Через полчаса Вероника встала, сходила на кухню, выпила анальгин и вернулась к компьютеру. Еще через полчаса откинулась на спинку стула и устало закрыла глаза, чувствуя себя совершенно разбитой.

Десятки Елизавет, сотни пропавших без вести. И ни одной в возрасте тридцати с чем-то лет, пропавшей в Москве в апреле этого года.

Собственно, на что Вероника рассчитывала? Придумала гипотезу и полагала, что мгновенно найдет подтверждение? Жаль, в жизни редко бывает легко.

Таблетка не помогла. Голова продолжала болеть. Вероника намочила полотенце холодной водой и обмотала им лоб, перебазировавшись на кровать. Несколько минут лежала неподвижно, надеясь уловить намек на улучшение, но тщетно. Боль раскалывала голову надвое, словно по черепу молотили топором. Вероника представила, как дробятся кости, как лезвие погружается в мягкую сероватую массу... Это было невыносимо. Слезы хлынули из глаз и потекли обжигающим потоком. Ей казалось, что они оставляют на коже шрамы от ожогов. Эта нелепая мысль — о том, что теперь лицо изуродовано — вызвала у нее новый приступ отчаяния. Она все так же лежала, не открывая глаз, не шевелясь, давясь беззвучными рыданиями... Влажное полотенце нагрелось и стало причинять дополнительные страдания, стискивая голову жарким обручем.

Вероника осторожно села, откинув полотенце, опустила ноги на пол и медленно встала. Шатаясь, добрела до ванной, сбросила одежду прямо на пол и залезла под душ, включив прохладную воду. Стоять не было сил; она села, согнув ноги и уперщись лбом в колени. Холодные струи обволакивали пылающую голову, успокаивали и расслабляли. Минут через пять боль отступила, оставив после себя удручающую, но терпимую тяжесть.

Вероника робко вздохнула, боясь радоваться раньше времени, и повернула вентиль, сделав воду теплее. Ей с детства нравилось подолгу принимать душ. В потоке воды она впадала в полусонное гипнотическое состояние; вода исцеляла и смывала горечь, которая волей-неволей накапливается в сердце, если ты не знаешь, что делать с собственной жизнью. В редкие минуты одиночества — когда муж и дочь уезжали, мать с отцом не звонили, а друзья не беспокоили — Вероника ловила себя на мысли, что все ее существование подчинено движению — беспрерывному и не всегда осмысленному. Она постоянно куда-то бежала, что-то планировала, суета ждала ее утром и не покидала даже ночью — Веронике снились кошмары, в которых ее обязательно кто-то преследовал. Она спасалась бегством, не видя, а лишь интуитивно чувствуя своего врага. Если бы она остановилась, если бы только задумалась, вглядевшись внутрь себя, враг неминуемо догнал бы свою жертву и, вцепившись в ее горло когтями, никогда бы не отпустил.

Вероника инстинктивно коснулась собственной шеи — никто не сжимал ее, не раздирал на части. Но дышать было трудно, гораздо труднее, чем обычно. Раньше она испугалась бы не на шутку, поспешно покинула бы ванну и принялась хлопотать по хозяйству, помогать дочке с уроками или дискутировать с мужем. Она бы оторвалась от своего врага, как отрывалась уже не раз, предпринимая отчаянный рывок. Но сейчас ей никуда не хотелось бежать. Она испытывала знакомый страх, но впервые желание победить его пересиливало инстинкт самосохранения.

Вероника больше не спешила. Она ждала его, чтобы дать отпор. Чтобы раз и навсегда решить терзавшее ее мозг уравнение.

Выключила воду, медленно вытерлась полотенцем, наслаждаясь его уютной мягкостью, и вышла из ванной. Натянула джинсы и шерстяной свитер, оставила дочери записку и покинула квартиру.

На улице было тепло и солнечно. Вероника редко гуляла днем — в будни работала, а к выходным накапливалось много срочных дел, так что на бездумное шатание по городу времени не оставалось. Она остановилась посреди тротуара и запрокинула голову, зажмурившись от ярких лучей. Запахи земли, молодой листвы и асфальта смешивались с по-весеннему чистым воздухом, создавая особенный, пьянящий аромат, наполнявший легкие свежестью, а сердце — неизъяснимой радостью.

Вероника не двигалась с места, оцепенев от нахлынувшего умиротворения. Она знала, что все будет именно так, как должно быть. Каким бы трагичным ни казался итог, это всего лишь часть чего-то большего, всего лишь короткое мгновение. И если его не удерживать, то и боль не затянется надолго.

Открыла глаза и не спеша побрела по улице, с интересом изучая окрестности. Вероника жила в этом городке с самого рождения, знала каждый его закоулок и каждое здание, знала, как сонно выглядит в январе парк возле школы, как в июне отчаянно желты одуванчики на пригорке у поликлиники, как шумны сентябрьские дожди, бьющие о жестяную кровлю гаражей... Она так привыкла к этому городу, что перестала замечать его, как не замечаешь воздух, которым дышишь. Сегодня Вероника будто очнулась от долгого забытья и с удивлением оглядывалась на опрятные палисадники и свежевыкрашенные оградки, на облепивших провода воробьев и выезжавшую из подворотни «Газель», на пронзительно-голубое небо и отремонтированное крыльцо продуктового магазина...

Солнечные лучи мягко касались кожи, по телу разливалось приятное тепло, и было так уютно брести по улице, не имея цели. С каждым шагом внутри поднималось необычное и словно бы неуместное чувство, которое Вероника определила спустя два часа, когда уже приближалась к дому. Она неожиданно поняла, что чувствует ответственность перед родным городом. Ответственность, напрямую связанную с Вениамином.

ЧЕЛОВЕК БЕЗ СЕРДЦА

Брат не собирался сюда возвращаться. Он долгие годы жил вдалеке, добровольно став изгнанником. Его не мучила разлука с родителями и сестрой, он не тосковал по дворам, где играл в детстве. И все-таки не стоило исключать шанс, что однажды блудный сын захочет вернуться. Еще неделю назад Вероника с радостью допускала подобную мысль. Но сейчас она осознала, что боится его появления. Но боится не апатично, трусливо надеясь на лучшее, а неистово и воинственно. Она единственная, кому открылась тайна. Единственная, кто знает, на что способен Вениамин. И лишь она одна в силах остановить брата, сделать так, чтобы он никогда не вернулся. Ни в этот город, ни в какой-то другой.

Вероника поднялась на свой этаж, открыла дверь и вошла в квартиру. Дома никого не было. Решительно подошла к компьютеру и открыла другую поисковую систему. Первая же выданная страница содержала короткую новостную сводку об исчезновении вдовы известного предпринимателя Андрея Гончарова. В полицию обратилась гражданка З. Синь, работавшая няней в доме Гончаровых, и заявила о длительном отсутствии хозяйки. В ходе оперативно-разыскных мероприятий был обнаружен автомобиль Елизаветы Гончаровой, оставленный в одном из спальных районов города. Транспортное средство было не заперто, но следов взлома не замечено. Больше никаких зацепок у следствия не имелось. По факту исчезновения возбуждено уголовное дело. Журналист напомнил, что у 34-летней вдовы осталась малолетняя дочь. Текст был снабжен фотографией. Худая, ухоженная брюнетка со стильной стрижкой смотрела вызывающе, словно делала милость, позволяя запечатлеть себя на пленку.

Вероника не отрываясь глядела на фотографию. Сходилось все: время, возраст, внешность и даже имя. Если это и совпадение, то чрезвычайно редкое. Несколько минут Вероника молча пялилась в монитор, вновь и вновь перечитывая скудную информацию, затем дотянулась до телефона и набрала 02. Когда дежурный поднял трубку, сообщила:

— Я хочу сообщить об убийстве, произошедшем десять лет назад в нашем районе. Кроме того, я располагаю полезной для следствия информацией о преступлении, совершенном в другом городе. Речь идет о Елизавете Гончаровой, пропавшей в Москве в апреле этого года. Я подозреваю, что она все еще жива. И я знаю, кто ее похитил. Подскажите мои дальнейшие действия.

Еще не закончив фразы, Вероника ощутила, что тот самый невидимый враг, который преследовал ее долгие годы и от которого она так отчаянно убегала, догнал ее. Но она больше не боялась. Теперь она знала, как победить.

Глава 16

■

— Спасибо, капитан. — Развязного вида мужичок, от которого явственно несло перегаром, протянул водителю мятые купюры и покинул салон, громко хлопнув дверцей.

ЧЕЛОВЕК БЕЗ СЕРДЦА

Макс нервно нажал на газ и рванул машину вперед. Последние несколько дней он таксовал, чтобы немного заработать, и эта вынужденная мера здорово его раздражала. Каких только идиотов не приходилось подвозить. Каждому второму Макс с радостью разбил бы лицо, если бы так отчаянно не нуждался в средствах. Идея о другом способе заработать в голову пока не приходила. Честно сказать, беспокоили его мысли совсем иного толка.

С момента «официального» исчезновения Лизы минуло почти полтора месяца, а никаких подвижек в деле не наблюдалось. Полиция отделывалась общими фразами, нанятый сыщик не оправдывал потраченных на него денег. Макс едва сдерживался от мата, выслушивая по телефону его невнятные отговорки. Если в течение ближайших недель горе-детектив не раскопает какой-либо ценной информации, то будет послан далеко и навечно.

Макс редко жаловался на судьбу — до недавнего момента его жизни могли позавидовать многие. Если и возникали проблемы, решал их быстро и эффективно, предпочитая методы грубоватые, но действенные. Он не обладал мудростью Джекила и хитростью Лизы, зато имел силу и нахрапистость. В большинстве случаев этих качеств хватало, чтобы изменить ситуацию под себя. Сейчас Макс чувствовал себя беспомощным мальчишкой. Он сражался с невидимым врагом, против которого не имел оружия.

Какие бы действия он ни предпринимал, пытаясь отыскать Лизин след, неизменно упирался в тупик. Подруга словно исчезла с лица земли, не оставив ни

ТАТЬЯНА КОГАН

единой подсказки, почему и зачем. Эта загадка сводила его с ума и приводила в бешенство. Макс ненавидел загадки!

С тех пор как неизвестный мститель появился в офисе Гладко, а затем наведался к Кравцову, о нем больше никто не слышал. Макс был не уверен, что этот аноним причастен к похищению подруги, хотя эта гипотеза выглядела логичной. Он вообще ни в чем не был уверен, отчего бесился еще больше. Беспомощность и неопределенность — наихудшие из выдумок дьявола.

Макс уже не помнил, когда нормально высыпался. За день так уставал, что к вечеру валился с ног, а все равно подолгу не мог заснуть. Представлял, где сейчас Лиза и что с ней происходит. Воображение подкидывало столь омерзительные картины, что тошно становилось: Лизу продали в рабство и заставляют работать проституткой в какой-нибудь арабской стране; Лизу распотрошили на органы для богатых клиентов; Лизу держит в подвале маньяк-каннибал и каждую неделю отрезает от нее по кусочку. Впрочем, гораздо чаще казалось, что подругу просто убили и закопали где-то в лесополосе, и ее труп никто никогда не найдет. От этих мыслей хотелось вскочить с кровати и крушить все подряд. Макса удерживала лишь мирно сопящая жена, доверчиво прильнувшая к его плечу.

Надька была золотом. Она смотрела сквозь пальцы на его вспышки гнева, подстраивалась, утешала, говорила ласковые слова. Видя, что у мужа трудный период, старалась поддерживать его и ободрять. И все-таки жена не знала и десятой доли того, что тревожило Макса, поэтому не могла адекватно оценить масштаб проблем. Впрочем, даже будь супруга чуть более циничной и чуть менее правильной, он не поделился бы с ней своими тревогами. Давным-давно он поклялся не впутывать жену в дела, не касающиеся семьи, и строго следовал данной клятве.

До самого вечера Макс катался по городу, подвозя случайных пассажиров. Желающих было немного, но кое-какие деньги заработать удалось. Когда стемнело, он заехал домой, наскоро перекусил и переоделся. Три ночи в неделю он дежурил у входа в одном из развлекательных клубов города. Охранником его приняли после первого же собеседования: внушительный вид соискателя говорил сам за себя. Подвернувшейся подработке Макс обрадовался: обязанности у вышибалы несложные, а оплачивались неплохо. Кроме того, новая должность предоставляла возможность безнаказанно вымещать агрессию. В ночь дежурства новоявленный вышибала с нетерпением ждал, когда понадобится усмирить какое-нибудь воинственное быдло. И хотя махать кулаками охранникам запрещалось, Макс нет-нет, да и поддавал особо зарвавшимся посетителям клуба.

После ночной смены напряжение ненадолго отпускало. Пользуясь моментом, он навещал Лизкину дочь. Настя искренне радовалась его визитам и каждый раз надеялась, что дядя заберет ее домой. Макс чувствовал себя полным дерьмом и даже в невыразительных глазах воспитательницы, курировавшей девочку, видел красноречивый укор. Как объяснить, что у доброго дяди пока нет возможности взять малышку к себе? Дядя не может торчать с ней дома, поскольку сутками напролет зарабатывает на кусок хлеба. А жена вряд ли примет чужого ребенка, когда узнает, чей он. Надька баба покладистая, но далеко не дура и не купится на байки о дружбе между мужчиной и женщиной. Она сразу поймет: подруга слишком важна для Макса, раз он готов удочерить ее чадо. По-особенному важна. Женщина способна простить физическую измену. Но любовь к другой не простит никогда.

Позавчера Макс привез Насте ее заказ — розового плюшевого слона. Девочка обхватила ручонками игрушку и исподлобья взглянула на него.

— Ты меня заберешь?

Макс мысленно выругался, презирая себя за то, что причиняет боль этому несчастному крохотному созданию. Он присел на корточки и заглянул в серые, полные надежды глаза.

— Принцесса, не могу пока, прости. Давай я буду приходить к тебе почаще?

Девочка надула губы и отвернулась, демонстрируя обиду. Макс осторожно повернул ее личико к себе.

— Я обещаю, что приведу к тебе твою маму. Она заблудилась, и я никак не могу ее отыскать. Ты дашь мне еще немного времени?

— Почему я не могу ждать ее дома? — резонно спросил ребенок.

— Потому что я не могу оставить тебя дома одну. И брать с собой на поиски тоже не могу. В лесу холодно и сыро; ты устанешь, замерзнешь и заболеешь.

— У меня есть няня. — Настя топнула ножкой и бросила слоника на пол. — Няня Зина.

ЧЕЛОВЕК БЕЗ СЕРДЦА

Макс нервно выдохнул. С этой девчонкой было так же сложно договориться, как и с ее матерью. На все-то у них имелись веские аргументы.

Няня Зина, работавшая в доме Гончаровых, обратилась в полицию с заявлением об исчезновении хозяйки. Сдав ребенка в органы опеки, женщина самоустранилась. Макс не осуждал ее: никому не хочется работать бесплатно и брать на себя ответственность за чужое чадо. Но как донести до ребенка эту взрослую ситуацию?

Макс поднял Настю на руки и подошел к окну. Внизу серела заасфальтированная площадка; там, где она кончалась, сиротливо стояли качели и невысокая горка, чуть поодаль располагались песочница и турник. Не слишком много развлечений для детворы. Немудрено, что девочка так рвется домой.

— Няня Зина ушла искать твою маму и тоже заблудилась. — Макс соврал первое, что пришло на ум.

Настя внимательно посмотрела на него, взгляд ее был не по-детски серьезен.

— Не ходи.

— Куда не ходить? — уточнил Макс.

— В лес не ходи. Ты тоже заблудишься и не вернешься. — Девочка схватила его за пуговицу рубашки и принялась крутить ее, бубня себе под нос: — Не ходи. Не ходи.

— Все в порядке, малая. Я мужчина, я найду дорогу обратно. Веришь?

Настя продолжала крутить пуговицу, сосредоточив на ней все внимание.

— Настюха? — окликнул ее Макс.

— Не ходи, — повторила она.

— Да что ты заладила! — рявкнул он, напугав девочку. Она отпустила пуговицу и сжалась от страха.

Воспитательница, находившаяся в комнате, с беспокойством поглядела в их сторону. Макс понизил голос:

— Я тебе обещаю, что никуда не исчезну. Слышишь, принцесса? — Он завел русую прядку за маленькое ушко.

Девочка затравленно посмотрела на него и поспешно кивнула, опасаясь очередного окрика.

«Вот кретин, — подумал Макс. — Вызверился на малую...» Женщины из семьи Гончаровых обладали врожденным умением выводить его из себя. Он опустил девочку на пол и устало оперся о подоконник. Настя постояла рядом несколько секунд, а потом зашагала прочь.

— Ты куда, Настюх?

Она не ответила. Подошла к плюшевому слону, подобрала его с пола и молча вернулась обратно, приняв точно такую же позу, как у взрослого дяди. Встала, прислонившись спиной к стене, и принялась сосредоточенно перебирать ворсинки на мягкой игрушке. Макс почувствовал острое желание схватить девчонку в охапку и унести отсюда к чертовой матери. Он снова присел перед ней и, борясь с обуревавшими его эмоциями, сказал:

— Мне надо идти, принцесса.

Каждый раз, когда Макс покидал интернат, его сердце ухало вниз, а глаза предательски увлажнялись. Он не был уверен, что поступает правильно, оставляя

ЧЕЛОВЕК БЕЗ СЕРДЦА

Лизину дочку на попечительство чужих людей, но и в целесообразности оформления опеки тоже сомневался. Его раздирали противоречия, и это паршивое состояние выводило из себя. Максим Гладко всегда предпочитал действие, считая, что нет ничего более утомительного, чем нерешительность, — и ничего более бесполезного. Но сейчас он колебался, боясь сделать неверный ход и тем самым усугубить положение.

Ночь была теплой; несмотря на поздний час, по улицам гуляли толпы народа. Макс оставил машину на служебной парковке и зашел в клуб. Двое его напарников уже были на месте. Один охранник отвечал за внутреннее помещение, двое стояли у входа. Каждые два часа менялись. Максу больше нравилось дежурить на улице, в самом клубе было слишком шумно. В общем-то, против веселья и громкой музыки он ничего не имел, раньше он часто зависал в стрип-барах, где подыскивал очередную любовницу. Но это было давно, очень давно, когда жизненные неприятности не угнетали, а лишь добавляли остроты. В нынешней ситуации вечный праздник, доступные женщины и откровенные танцы вызывали у него отторжение.

У входа постоянно ошивались посетители клуба — входили-выходили, звонили, курили, выясняли отношения. Пока никто не заводил смуту, Макс спокойно стоял на посту, вдыхая стылый сырой воздух. После трех ночи температура резко упала. Выбежавшие из клуба девицы зябко кутались в тонкие кофточки, пристукивали голыми ногами, обутыми в изящные босоножки, и поспешно прыгали в первое же такси, чтобы спастись от холода.

Макс думал о том, что Лизка сейчас тоже где-нибудь мерзнет. И наверняка костерит своих друзей на чем свет стоит за то, что не могут ее спасти. А больше всех злится на Макса, который клялся-божился в вечной любви и заботе, а сам ничего не предпринимает, чтобы вызволить ее из беды. Ладно, ладно, кое-что предпринимает. Но попытка приравнивается к бездействию, если не приносит результата. Разве Лизе легче от того, что ее ищут? Ей станет легче, когда ее найдут.

— Зажигалкой не поделитесь? — Красивая круто-бедрая блондинка в коротком обтягивающем платье и распахнутом длинном плаще с интересом разглядывала Максима.

— Не курю.

Девушка ухмыльнулась и, продолжая изучать его, достала из кармана зажигалку и прикурила тонкую длинную сигарету.

— Вам не скучно? — спросила она, выпустив в сторону упругую струю дыма.

Макс мельком окинул взглядом фигуру девицы: длинные ноги, полные ляжки, тонкая талия, большая грудь. Все, как ему нравится.

— Не скучно.

Блондинка затянулась и долго не вынимала изо рта сигарету, неотрывно пялясь на охранника. У нее были большие крепкие кисти.

— Такой племенной самец и не идет на контакт. Обидно, — нахально улыбаясь, обмолвилась она.

Макс повернулся в ее сторону, не вынимая рук из карманов брюк. Прежде он запросто велся на подоб-

ЧЕЛОВЕК БЕЗ СЕРДЦА

ные провокации и принимал вызов, обычно заканчивавшийся бурным одноразовым сексом. Сегодня от одной мысли об этом становилось тошно.

— Шла бы ты, принцесса, по своим делам, — не слишком вежливо посоветовал он.

— Даже так? — Девушка демонстративно кинула окурок ему под ноги. — Что, на мужиков возбуждаешься?

Макс заиграл желваками, подавляя желание рвануть сучку на себя и впечатать ее в бетонную стену. Не дождавшись его реакции, девица медленно развернулась и зашагала прочь, бросив через плечо:

— Одни пидоры кругом!

Макс с тоской подумал о том, что все не так, как должно быть. Раньше жизнь казалась простой и понятной. Никаких сложностей, недомолвок, закрытых тем. Друзья находились рядом, и мир крутился вокруг них. А теперь каждый новый день начинался с вопроса «Что делать?», и ответы в лучшем случае не радовали, а в худшем — приводили в бешенство.

Джек свалил в Германию неделю назад и даже не позвонил ни разу. Максу было обидно — он беспокоился за товарища, помогал ему, вон и приезд отца организовал, и в итоге не услышал ни слова благодарности. Да к чертям собачьим благодарность! Не это нужно Максу. Он всего лишь хочет, чтобы друг не отдалялся. Лизка пропала, Глеб держался особняком, если еще и Джекил уйдет в себя, то впору будет завыть от одиночества. Хорошо, хотя бы Сергей Иванович отвечает на звонки, держа его в курсе последних новостей.

— Ты чего такой хмурый? — полюбопытствовал напарник — двухметровый детина с совершенно детским, глуповатым выражением лица. — Такую кралю отшил. Вот если бы она мне предложила, я бы не растерялся.

Макс недоуменно посмотрел на коллегу, словно только сейчас обнаружил его присутствие.

— Что, проблемы дома? — сочувствующе спросил тот.

— Никаких проблем, Жека. Никаких, — ответил Макс и подумал: а вдруг Лизку никто не похищал? Вдруг она взбрыкнула и свалила куда-нибудь, чтобы в одиночестве зализать раны несчастной любви? Очевидно же, что Джеки не ответил ей взаимностью, а к отказам она не привыкла, вот и заистерила по-бабьи. В таком случае пусть только вернется, сука, свернутая шея ей обеспечена.

— Подмерз я малость. Пойду внутрь, ты не против? — спросил напарник.

— Не против. — Макс нахмурился. Чушь все это про Лизку. Она импульсивная, но глупости совершает редко. Не могла она бросить ребенка. В дочке своей души не чает. Если бы решила исчезнуть, забрала бы Настюху с собой.

— Точно? — осторожничал Жека, не решаясь покинуть чрезмерно серьезного напарника.

— Да вали уже, — раздраженно буркнул Макс, отвлекаясь от тягостных мыслей. — Может, приглядишь себе кого на утро.

— Спасибо, братуха, — обрадовался Жека. — Но что-то не сильно на меня телочки клюют. — Он постоял, надеясь на ободряющий комментарий, но так и не дождавшись, нырнул в помещение.

В шесть утра смена закончилась. Последние гости покидали клуб, улицы были пусты и тихи, многомиллионный город досыпал последние минуты перед наступлением шумного утра.

На служебной парковке сиротливо стоял одинокий автомобиль — руководящий состав уже уехал. Макс сел в машину и завел мотор, не торопясь трогаться с места. Навалилась такая тоска — хоть вешайся. Домой не хотелось. Да вообще никуда не хотелось. Он включил автомагнитолу, выбрал песню и нажал на «play». Из динамиков полился надрывный голос Высоцкого:

> В сон мне — желтые огни,
> И хриплю во сне я:
> «Повремени, повремени –
> Утро мудренее!»
> Но и утром всё не так,
> Нет того веселья:
> Или куришь натощак,
> Или пьешь с похмелья.
> Эх, раз, да еще раз, да еще много-много раз...

Макс откинулся в кресле и закрыл глаза.

Глава 17

∎

Медсестра измерила температуру и давление, дала ему лекарство и, пожелав спокойной ночи, покинула палату. Джек подождал, пока за ней закроется дверь, встал с кровати и подошел к окну. Минула уже неделя после его прибытия в клинику, но операцию все откладывали, проводя дополнительные обследования. Это выводило его из себя. Изо дня в день оставаться в темноте, находясь в каком-то шаге от света...

Джек потянул за ручку и открыл окно. В палате имелся телевизор, но пациент его ни разу не включал, предпочитая слушать звуки города. Клиника располагалась в тихом местечке, вдали от центральных магистралей. Прилегающие к ней Шахенмайерштрассе и Лацаретштрассе представляли собой узкие улочки со скучными невысокими строениями, лишенными бюргерского колорита и какого-либо очарования. По крайней мере, так описал окружающий пейзаж отец. Сам Джек, хоть и неоднократно гостил в Мюнхене, в этом районе не бывал. Ни шум машин, ни суетливый гул не нарушали камерную тишину больничной палаты, только легкий шелест листьев да редкие птичьи переклички, нагонявшие тоску на и без того тоскующего слушателя.

Неделя постоянного ожидания. Напряжение, покинувшее Джека после встречи с отцом, снова вернулось, и на этот раз более сильное. Все чаще он просыпался среди ночи от приступов внезапного страха. Становилось трудно дышать, голова кружилась, а сердце грозило пробить грудную клетку. Но даже физический дискомфорт мерк на фоне панического ужаса, накатывающего жаркими удушливыми волнами. А что, если ничего не получится? Что, если немецкие врачи подтвердят приговор российских коллег? Что, если отец дал ему ложную надежду и он, Джек, навсегда останется слепым?

ЧЕЛОВЕК БЕЗ СЕРДЦА

Он садился на кровать, обнимая себя за плечи и дрожа от озноба. В изголовье лежал пульт вызова медсестры, но Джек упрямо игнорировал помощь. Проблема полыхала в его голове, успокоительные препараты лишь притушили бы ее на время, но не погасили полностью. Он сам разжег это пламя, и сам должен справиться с ним.

Джек делал глубокие вдохи, заставляя себя думать о чем-то отвлеченно-приятном, и постепенно успокаивался. Мысленно благодарил отца за то, что тот оплатил ему отдельную палату. Постоянное присутствие незнакомых соседей только усилило бы стресс.

Сергей Иванович проведывал сына каждый день, и эти полтора-два часа были самым лучшим временем суток. Даже будучи на взводе, Джек мгновенно брал себя в руки, стараясь выглядеть спокойным, чтобы лишний раз не волновать отца. Тот и без того переживал, незачем добавлять ему беспокойства. Матери о случившемся решили не говорить, поэтому подолгу находиться в больнице отец не мог, дабы не вызывать подозрений у жены.

— Когда операция завершится успехом и ты снова сможешь видеть, тогда и сделаешь матери сюрприз якобы внезапным прилетом в гости, — говорил Сергей Иванович, и сын соглашался, сдерживая вертевшийся на языке вопрос: «А если нет? Если операция не завершится успехом?»

Разговоры с отцом ненадолго усмиряли внутреннюю агрессию. Сергей Иванович излучал незыблемую уверенность, не поддаться ей было трудно. И если сперва Джеку требовались усилия, чтобы не демонстрировать уныние, то после пятнадцатиминутного разговора с отцом он переставал фокусироваться на слепоте и проникался слабым интересом к отвлеченным темам. В такие минуты Джек ощущал, как крепнет надежда, а сомнения отходят на задний план. Обида на весь мир уже не разрывала сердце, муторная тяжесть покидала солнечное сплетение. И казалось, что его песня еще не спета, и сказка не окончена, и жизнь продолжается. И все будет хорошо. Герой с честью пройдет испытания, заслужив право рассказывать другим, как темен час перед рассветом, как смелость берет города, как вера двигает горы...

Сергей Иванович клал руку на плечо сына и ободряюще сжимал. Несколько минут они молчали, поддавшись умиротворяющей красоте момента близости, какая бывает лишь у истинно родственных душ. Затем отец со вздохом вставал и обещал, что вечером позвонит, а завтра утром снова придет.

После его ухода Джек еще некоторое время пребывал если не в хорошем, то как минимум в нейтральном настроении, покуда его не уводили на очередной осмотр. Он спрашивал у доктора, когда же наконец назначат дату операции, но всегда получал один и тот же ответ:

— Geduld bringt Rosen, Herr Ivan. Eine gute medizinische Behandlung erfordert Zeit und Geduld. Erst wägen, dann wagen. (Терпение приносит розы, герр Иван. Правильное лечение не терпит спешки. Сперва обдумать, потом отважиться.)

Доктор говорил негромко, но предельно четко, и Джеку казалось, что этот ровный безупречный голос может принадлежать только глубоко равнодушному человеку. Разумеется, было бы глупо требовать от врачей сочувствия — их работа лечить, а не жалеть пациента. И все же Джек почти не сомневался, что и вне стен клиники доктор Вангенхайм не демонстрировал особой эмоциональности. Отец уверяет, что это один из лучших хирургов-офтальмологов Германии.

Где-то вдалеке пропела пожарная сирена, но так тихо, что Иван скорее догадался, нежели четко различил сам звук. И за окном, и в здании было удивительно тихо. В отличие от большинства людей, Джек не испытывал нервной неприязни к больницам и поликлиникам. Собственно, больницы и поликлиники были местом его работы. Он не замечал тоскливую стерильность помещений и тревожность больничных запахов, не испытывал ужаса при виде крови или открытого перелома. Раньше он не понимал обеспокоенности пациентов, ожидающих в коридоре своей очереди на профилактический медосмотр. Джек чувствовал себя комфортно в любом отделении любого госпиталя. Пока сам не оказался в роли пациента.

Говорят, у медиков психика устроена иначе. Не так, как у нормальных людей. Мол, в критических ситуациях они способны отключить эмоции и действовать строго по регламенту. Какая чушь... Все это возможно только по отношению к незнакомцу, на которого тебе по большому счету плевать. А даже если не наплевать, в процессе практики любой врач становится менее восприимчив, ставя барьер между собой и пациентом, чтобы не терять объективность и абстрагироваться от переживаний больного. Обыкновенная психологическая защита, не дающая сгореть раньше времени. Но когда дело касается тебя самого, твердость духа подвергается серьезному испытанию. Не так-то просто воспринимать себя как одного из сотен пациентов. Каким бы сильным характером ты ни обладал, глядя в зеркало, ты видишь тревожные, измученные страхом глаза — свои глаза. Тебя не обмануть невнятным обещанием лучшего. Ты прекрасно понимаешь, что иногда плохое случается. Иногда врачи оказываются бессильны.

Джек старался думать о хорошем. О том, что немецкие доктора знают свое дело и непременно вернут ему зрение; что временная задержка — следствие немецкой педантичности, а не показатель безнадежности состояния пациента; что не за горами день, когда слепота отступит и он снова увидит мир — столь прекрасный прежде и столь унылый сейчас. Однако мысли невольно поворачивали в иную сторону, заставляя его сомневаться и предполагать худшее.

Возможно, Джек не очень-то сильно старался, попросту устав вдалбливать себе позитивный настрой. Он еще не сдался, но уже был близок к тому.

В груди неприятно заныло: организм предупреждал, что если человек продолжит размышлять в том же духе, то приступ паники нагрянет без промедлений. Задыхаться от ужаса Джеку совсем не хотелось. Заставил себя лечь в кровать и сосредоточиться на чем угодно, кроме болезни.

Как только представится возможность, надо будет наведаться во дворцы. Благо находятся они в ста километрах от Мюнхена. На машине — не больше полутора часов пути. Первый раз маленький Ваня ездил туда с родителями. Было ему лет одиннадцать, не больше. Всю дорогу мальчику не терпелось прибыть на место, он даже в окно не смотрел, игнорируя изумительные альпийские пейзажи.

Когда среди темно-зеленых лесистых гор появились светлые очертания замков, Ванюша едва не подпрыгнул на заднем сиденье. Уже несколько недель он грезил историями из рыцарских времен, находясь под впечатлением романа Вальтера Скотта «Айвенго». Видя его увлеченность, отец предложил сыну экскурсию к двум всемирно известным баварским замкам и не прогадал.

Сперва отправились в замок Хоэншвангау, походивший на средневековое поместье. Скромные розоватые башенки и зубчатые стены гостеприимно выглядывали из-за хвойных верхушек. Ваня не отходил от экскурсовода ни на шаг, жадно ловя каждое его слово. Столько лет прошло, а он и сейчас мог бы процитировать целые абзацы.

В начале XIX века будущий король Максимилиан II Баварский, осматривая свои земли, обнаружил руины старой крепости, которую решил восстановить. После того как реконструкция была завершена, Хоэншвангау стал летней и охотничьей резиденцией многочисленной королевской семьи. Из окон открывается живописный вид на озера. И король с королевой, и их юные отпрыски находили здесь занятия на свой вкус. Кто-то охотился, кто-то рыбачил. А принц Людвиг любил бродить по самой красивой комнате — зале героев и рыцарей, — разглядывая картины и росписи по мотивам саг о викингах. Мальчик бредил германской мифологией и отождествлял себя с рыцарем-лебедем Лоэнгрином. Спустя годы, в восемнадцатилетнем возрасте взойдя на престол, романтичный Людвиг II приступит к созданию собственного сказочного дворца, тратя огромные деньги, накопленные королевской семьей в течение восьми столетий.

Замок Нойшванштайн, что в переводе означает «Новый лебединый утес», стал лебединой песнью очарованного короля. Людвиг II погиб, прожив в еще недостроенной резиденции всего 172 дня. К моменту его смерти была закончена отделка всего лишь одной трети помещений.

Ваню не слишком смущал тот факт, что два этих замка не имели отношения к рыцарской эпохе. Воображением природа не обделила, а в подходящих декорациях отлично мечтается. Мальчик возвращался домой уставший и довольный. После той экскурсии о замках он не вспоминал довольно долго — увлечение легендами о рыцарях быстро прошло. Но четыре года назад, нагрянув к родителям в гости, Джек внезапно захотел посетить столь понравившееся в детстве место.

Стояла вторая половина осени. Воздух был холоден, по ночам подмораживало, но деревья еще полностью не пожелтели — кое-где попадались абсолютно зеленые кроны, правда, зелень эта уже утратила летнюю яркость. Джек выехал из Мюнхена ранним утром, свернул на автобан A96 и двинулся в сторону Фюссена. Управлять машиной было приятно: рекомендованная скорость на немецких автобанах — 130 километров в час, но на отдельных участках трассы, где нет ограничительных знаков, можно разгоняться хоть до трехсот. Джек любил скорость. Гостя у родителей по две-три недели, он частенько развлекался, наматывая километры по пустым автобанам. В Москве так не погазуешь.

После поворота на деревню Хохшвангау дорога сужалась. За окном мелькали холмы и луга, сытые коровы щипали траву, там и сям высились накрытые пленкой копны скошенного сена. Иногда у обочины аккуратными грудами лежали оранжевые тыквы и полосатые кабачки, каждый желающий мог купить понравившийся овощ, кинув деньги в жестяную баночку. То и дело накрапывал дождик, отчего окружающий пейзаж приобретал дымчатую приглушенность.

Рваные белые облака низко стелились над деревьями, сквозь рыхлую пелену виднелись покрытые снегом вершины гор. В автомагнитоле звучала опера Вагнера, какая именно, Джек не придавал значения. Купил диск непосредственно перед выездом, чтобы настроиться на возвышенный лад. Именно этого композитора меланхоличный Людвиг II слушал, уединившись в сказочном замке.

Джек припарковался у небольшой церквушки у въезда в деревню. Чуть поодаль, у самого озера, находились кассы, где толпилась куча народу. Джек постоял минуту, раздумывая, стоит ли брать билет, и махнул рукой. Он не горел желанием обследовать внутренние помещения замков, где не протолкнуться из-за тысяч туристов. Гораздо приятнее просто побродить по окрестностям, любуясь архитектурными шедеврами на расстоянии.

По правую руку, минутах в десяти пешком, стоял замок Хоэншвангау. Джек поднялся по тропинке, обогнул крепостные стены и вышел на дорогу, ведущую к Нойшванштайн. Шел медленно, стараясь не обращать внимания на многочисленных туристов, спешащих на экскурсию и торопливо щелкающих фотоаппаратами. Мимо то и дело проезжали повозки, запряженные мускулистыми лошадьми, массивные подковы звонко цокали об асфальт.

Джек не помнил, о чем именно тогда думал. Скорее всего, то был один из редких моментов, когда голова свободна от отвлеченных мыслей, и все существо поглощено настоящим. От открывшихся видов перехватывало дыхание. Внизу простирались маленькие деревеньки и луга, зеркальная поверхность озер, расположившихся одно за другим, дрожала под светом тусклых осенних лучей. А чуть повыше на многие километры вокруг — черный, зеленый, желтый, багряный лес и крутые скалистые склоны.

Джек миновал обзорную площадку и вышел на узкий мост, откуда замок Нойшванштайн представал во всей красе. Ажурный металлический мостик в буквальном смысле висел над пропастью на высоте без малого сто метров, и основная часть туристов не рисковала ступить на него, поддавшись нелогичному страху. Джек пересек мостик и полез на гору, вызвав у особенно впечатлительных наблюдателей потрясенные вздохи. Подъем был крут и чрезвычайно опасен — Джеку приходилось цепляться за выступающие корни деревьев и низкие кустарники, чтобы не сорваться вниз. Один неверный шаг, и он бы разбился насмерть, рухнув на острые камни. Обычно Джек избегал неоправданного риска, но в ту минуту просто не мог остановиться. Карабкался вверх по уступам, чувствуя, как учащенно колотится сердце, а ноги наливаются тяжестью.

Когда Джек достиг вершины, упоительный восторг захлестнул его. Он сел на влажный валун, наполовину торчавший из скалы, и обвел взглядом панораму. В ущелье под мостом мерцал водопад, а белый замок на вершине горы походил скорее на плод воображения мультипликатора, нежели на творение реальных архитекторов. Темные остроконечные башенки выделялись особенно четко на фоне серо-голубого неба.

Немудрено, что Людвиг II, проживший в этом укромном уголке всю жизнь, не слишком интересовался государственными делами. В очаровательной глуши мирская суета кажется глупой и незначительной. Даже не склонный к сентиментальности Джек поддался царившему здесь волшебству и ощущал себя кем-то иным. Москва, работа в клинике, друзья *и даже игра* отодвинулись на задний план и померкли. С каждой секундой воспоминания о прошлой жизни тускнели, покуда совсем не исчезли. И вот уже на вершине горы стоит не психотерапевт Иван Кравцов, а герой древних легенд, хранящий в душе горькую и грустную тайну...

— Вот блин, — выругался Джек, прогоняя наваждение. — Так и свихнуться недолго.

Он огляделся, выискивая наиболее удобный путь, и стал осторожно спускаться. Часы показывали два пополудни, когда он, уставший и голодный, ввалился в уютный ресторанчик у подножия гор. Заказал тушеные овощи с сыром и местное пиво. Достал мобильный телефон. Пока с аппетитом поглощал пищу, читал в Интернете скудную информацию о жизни Людвига II.

Жизнь у «сказочного» короля была не самой знаменательной. Кроме тесной дружбы с Вагнером и строительства замка особыми достижениями Людвиг похвастаться не мог. Зато смерть его оказалась куда более необычной.

В 1886 году врачебная комиссия признала короля душевнобольным. Поводом стало его эксцентричное поведение — уединение, прогулки по ночам и огромные денежные траты. Личного осмотра врачи не проводили, свидетелей не опрашивали. Попросту объявили его недееспособным. Людвига арестовали и закрыли в замке. Спустя несколько дней король отправился с личным психиатром на прогулку по берегу озера. Вскоре их тела обнаружили в воде.

Особой тщательностью полицейское расследование не отличалось. По одной из версий, Людвиг не вынес унижения и решил утопиться, а профессор пытался ему помешать. Так или иначе, но смерть Людвига называют «самым загадочным убийством XIX века».

Прежде чем отправиться обратно в Мюнхен, Джек побродил по окрестностям, ловя себя на мысли, что с удовольствием задержался бы здесь до следующей недели, устроившись в одном из маленьких отельчиков. Здравый смысл намекал на незрелость этой затеи. Единственный способ сохранить волшебство — уйти быстро и не оглядываясь. Как только позволяешь прекрасному задержаться в твоей жизни на чуть более долгий срок, оно стремительно теряет силу. Джеку хотелось еще не раз наведаться к замкам ради странного волнующего трепета, испытанного им на горе. Но чтобы в следующий раз магия сработала, нужно уезжать сейчас и ни часом позже...

Джек повернулся на кровати, подыскивая удобную позу. Приятные воспоминания успокоили его; надо постараться заснуть, пока не вернулось мрачное осознание того, что его будущие воспоминания могут не содержать зрительных образов. Он не позволил развиться этой чудовищной мысли. Вызвал в памяти зимний пейзаж деревеньки Швангау. Зимой замки выглядят особенно атмосферно, к тому же туристов заметно меньше. Есть лишь один минус — в снежный сезон висячий мост закрыт для посетителей. Джека это не смущало: обычно он перелезал через ограждение, игнорируя запрет.

На следующее утро ему сообщили, что операция назначена на сегодня. Отец узнал об этом раньше самого Джека. К тому моменту, как сын проснулся, Сергей Иванович уже был в клинике, успел переговорить с врачом и сейчас находился в палате, ожидая пробуждения Ивана.

— Операция через три часа, — уточнил Кравцов-старший. — У тебя еще есть время отказаться. В случае неудачи ты не сможешь видеть.

— Ха-ха. Мне всегда нравился твой черный юмор, — улыбнулся Джек. Он давно не чувствовал себя таким бодрым. Радостная новость придала ему сил, и хотя волнение присутствовало, оно было куда приятнее тоскливой апатии, не покидавшей его последние дни. Период неизвестности окончен. Благополучный исход неизбежен — ведь если бы врачи посчитали хирургическое вмешательство бессмысленным, то не стали бы оперировать. За считаные минуты болезненная надежда сменилась устойчивой уверенностью: зрение вернется.

Сергей Иванович тоже был возбужден — сын слышал это по интонации его речи. Отец всегда говорил убедительно, но этим утром его голос был особенно крепок. Кравцов-старший то и дело шутил, сегодня не было нужды притворяться. Он и правда пребывал в отличном настроении.

Отец и сын оживленно беседовали на отвлеченные темы, и в какой-то момент Джеку померещилось, что он у родителей дома, в просторной светлой гостиной сидит на удобном диване возле камина и наблюдает, как мать неспешно сервирует стол. Много лет назад, живя в обычной советской квартире, мама умудрялась поместить в гостиной большой и помпезный обеденный стол — трапезничать на кухне она считала дурным тоном. Отец посмеивался над этой слабостью жены и в шутку величал ее «дворянкой».

Джек так отчетливо увидел эту картинку, что на долю секунды поверил в ее реальность. Возможно, вся эта пошлая трагедия с потерей зрения ему приснилась, пока он дремал на диване в ожидании обеда. На самом деле он всегда оставался зрячим и в его устроенной жизни ничто не изменилось. Он по-прежнему работает в клинике и готовится к повторному эксперименту, по вечерам ходит в спортзал и раз в неделю заезжает в бар выпить стаканчик бренди и полюбоваться загадочной фреской.

Джек невольно вздрогнул, вспомнив события злосчастного вечера, когда проклятая фреска рухнула со стены, обрушив на расслабленного человека тысячи острых осколков. Из-за этих осколков пострадали его глаза. К сожалению, это была единственно существующая реальность.

— Ты чего притих? — спросил отец.

— Да так. — Джек помолчал, возвращая едва не упущенный позитивный настрой. — Подумал, надо будет смотаться до Фюссена и обратно, когда все это останется позади.

— Потянуло на Лебединое озеро? Ты становишься сентиментальным, Иван. — Сергей Иванович еле заметно усмехнулся. Ему нравилось, что сын не сомневается в успехе и строит планы. Возможно, они несколько преждевременны, но своих опасений Кравцов-старший вслух озвучивать не собирался.

Дверь в палату отворилась. Медсестра сообщила, что пациента пора готовить к операции. Сергей Иванович приблизился к сыну и, положив руку на плечо, ощутимо сжал его.

— В добрый час.

Джек молча кивнул.

Глава 18

■

После операции прошло уже двое суток, но повязку с глаз еще не снимали. Это время Джек провел как на иголках. Он всем сердцем верил, что зрение вернулось, но отчаянно жаждал доказательств. Решил, что, если в ближайшие несколько часов ситуация не изменится, он сам размотает бинты.

Время тянулось медленно, иногда Джек всерьез полагал, что он успел поседеть и состариться. А доктор все не приходил, подсылая медсестер, производивших с повязкой какие-то манипуляции. В глазах ощущались тяжесть и легкое жжение. Это одновременно и пугало, и обнадеживало.

Джек не знал, чем себя занять. Слушать музыку или телевизор не хотелось, просто лежать на кровати было скучно, телефонные разговоры его раздражали. Да и кому звонить? Отец и без того тратил на него кучу времени. А друзья... Друзья казались далекими и чужими. Макс пытался выйти на связь, но Джек упорно не отвечал. Понимал, что поступает неправильно, но предпочитал не размышлять на эту тему. Макс хороший товарищ, благодаря ему отец вовремя пришел на помощь гордому сыну. Джек его непременно поблагодарит. Потом. Сейчас он не смог бы выдавить ни слова. Бывают периоды, когда нечего сказать — как в буквальном, так и в переносном смысле.

Пациент бесцельно слонялся по палате, досконально изучив расположение мебели. Десять шагов до стены, мимо окна, повернуть направо, сделать два шага, обогнуть кушетку, сделать три шага до двери, повернуть направо, сделать три шага, отклониться в сторону, чтобы не задеть макушкой прикрепленный к стене телевизор, еще пять шагов, пока не упрешься в кровать, и снова десять шагов до стены, мимо окна. Джек наматывал круги, машинально отсчитывая количество шагов, чтобы занять мозг чем угодно, кроме

ЧЕЛОВЕК БЕЗ СЕРДЦА

мыслей о прошедшей операции. За этим занятием его и застал отец.

— Занимаешься спортивной ходьбой? — спросил Сергей Иванович, замерев на пороге. — Может, тебе гантели принести?

— Боюсь, в связи с моим прогрессирующим раздражением гантели я использую не по назначению, — усмехнулся Джек, остановившись и повернув голову в сторону голоса.

— В таком случае больше тянуть нельзя, не так ли, доктор? — Кравцов-старший перешел на немецкий, обратившись к вошедшему в палату пожилому мужчине в белом халате.

— Как ваше самочувствие, герр Иван? — негромко поинтересовался доктор Вангенхайм, взяв пациента под руку, и, подведя к кровати, заставил его сесть.

— Теперь, когда вы почтили меня своим присутствием, я практически счастлив, — съерничал Джек, заглушая растущее волнение.

— Давайте посмотрим, что тут у нас, — ровным голосом произнес доктор, и в ту же секунду Джек почувствовал, как его руки прикоснулись к голове.

Пульс мгновенно подскочил, а в ушах зашумело, словно их накрыли морскими раковинами. Тысячи эмоций сменились за одну секунду и вдруг разом исчезли. В этой внезапной пустоте возник нелепый образ из виденного однажды кинофильма: на больничной койке сидит пациент с плотной повязкой на глазах, врач стоит рядом и медленно разматывает бинты. Тревожная музыка, звучавшая на протяжении всего процесса, резко обрывается, давая зрителям

209

прочувствовать грандиозность момента. Несколько секунд герой фильма сидит с закрытыми глазами, боясь узнать результат. Его лицо бледно, а лежащие на коленях ладони дрожат. Проходит целая вечность, прежде чем он осмеливается открыть глаза. В кадре воцаряется темнота. Некоторые зрители думают, что пленка испорчена и фильм придется досматривать в другом кинотеатре. И вдруг экран начинает светлеть. Появляются размытые очертания предметов, и постепенно фокус становится резче. И вот, наконец, мы уже смотрим глазами главного героя — и видим палату, и серьезного доктора, и улыбающуюся медсестру...

— Я вижу! О боже! Я вижу! — восклицает счастливец...

— Я не вижу. — Голос Джека звенел от напряжения. — Я ничего не вижу.

Вангенхайм посветил фонариком, внимательно изучая глаза пациента. Закапал какие-то капли и что-то записал в медицинской карте. В палате висела гробовая тишина.

— К сожалению, новости неутешительные, — нарушил молчание врач и продолжил долгую речь, изобилующую медицинским терминами. Джек перестал улавливать их смысл. В ушах бесконечным эхом гремела одна-единственная фраза.

К сожалению, новости неутешительные...

К сожалению...

Неутешительные...

Упругая тишина окутывала его. Плотный черный занавес дрожал, будто по ту сторону сцены кто-то водил пальцами по тяжелому бархату. И было жарко, удушливо жарко, как в натопленной сауне, где на камни плеснули слишком много воды с эвкалиптовым маслом. У Джека не осталось ни мира, ни иллюзий. Лишь стойкое ощущение, что ты еще не родился, но уже перестал существовать.

— Приди в себя! — Сергей Иванович повторно шлепнул сына по щеке. — Ты отключился, что ли? Ты слышал, о чем мы с доктором говорили? Сдаваться рано. Проведем новые обследования.

Джек с удивлением обнаружил, что он по-прежнему находится в больничной палате и, судя по всему, мир не только никуда не исчез, но даже ни капли не изменился. И проблемы тоже.

— Ты слышишь меня? — грозно спросил Кравцов-старший.

— Извини, пап. Все нормально. Задумался просто. — Джек поднялся на ноги, нетвердой походкой приблизился к окну и, не сразу нащупав ручку, открыл его. Уперся кулаками в подоконник и вдохнул свежий весенний воздух. — Новые обследования, значит новые обследования.

Если бы Джек мог видеть, то разглядел бы, как глубокая вертикальная складка легла между бровями отца и дрогнули крылья носа. Сергей Иванович поменялся бы с сыном местами, если бы только мог. Единственное, что было в его силах, — пытаться изменить ситуацию и облегчить страдания Ивана. Сын старался не впадать в уныние, но это стоило ему огромных усилий. Кравцов-старший хотел сказать, что рано ставить на себе крест, — даже лишившись зрения, можно наполнить жизнь смыслом и удовольствием.

Однако мысль эту так и не озвучил, осознавая сомнительность подобного утешения. Пока существует хоть малейшая надежда на полное восстановление, нужно фокусироваться на успехе.

Сергей Иванович подошел к сыну, чей невидящий взгляд был устремлен прямо через стекло на тихий больничный дворик с тенистыми деревьями и аккуратными скамейками.

— Томас Эдисон провел десять тысяч неудачных экспериментов, прежде чем его лампочка зажглась.

Джек улыбнулся, не отводя устремленный перед собой взор.

— Я знаю, пап. Читал его биографию. — Он помолчал. По улице, скрытой за деревьями и высоким больничным забором, проехал мотоцикл. Джек предпочитал автомобили, но сейчас он бы не отказался прокатиться с ветерком на спортивном «Kawasaki». Без шлема. По скоростному автобану.

— Не переживай за меня. Я справлюсь. — Джек повернул голову, и Сергей Иванович встретился с его глазами. Они были такими же, как прежде — спокойными, внимательными и будто бы зрячими. И от этого завораживающего несоответствия кажущейся картины и действительности веяло чем-то жутким. Кравцов-старший призвал всю свою волю, чтобы голос не дрожал.

— Не ты справишься, Иван... Мы справимся.

Джек кивнул и снова повернулся к окну. Спустя двадцать минут ему удалось отправить отца домой. Когда за ним захлопнулась дверь, Иван сел на подоконник, свесив одну ногу и согнув другую, оперся локтем о колено.

Несколько часов назад он не сомневался, что вскоре обретет зрение. Несколько часов назад он не рассматривал даже гипотетический вариант навсегда остаться слепым. Сегодняшний день планировался днем триумфа. Джек шел верной дорогой. В нужном направлении. Все расчеты указывали на то, что цель близка. Он торопился. Не берег силы. Но когда пришел в пункт назначения, оказалось, путь даже не начинался.

Еще вчера Джека беспокоила его дальнейшая судьба. Он прикидывал, чем первым делом займется, выйдя из стен больницы. Что скажет отцу. Куда поедет. Его волновало множество вещей. Он чувствовал страх, надежду, раздражение. Это была жизнь. Пугающая, наполненная дискомфортом и сомнениями, — но жизнь.

Внезапно эмоции покинули Джека. Раньше он умел от них отключаться, умел их контролировать. Теперь все стало иначе. Теперь просто нечего было отключать и контролировать. Джек перестал что-либо ощущать, утратив интерес к происходящему.

Где-то внутри его росла и ширилась зияющая воронка, она поглотила боль и тревоги. В нем не осталось ничего. Он слился с пустотой, стал ее частью. Он по-прежнему осязал, обонял, слышал. Но не принимал в этом никакого участия. Тело работало само по себе.

Вечером в палату наведался доктор Вангенхайм, перечислил предстоящие процедуры и поделился своими соображениями. По его словам, результаты операции могут проявиться не сразу и какое-то время придется подождать, прежде чем производить новое хирургическое вмешательство.

Джек слушал и согласно кивал. Ему было все равно.

Наступило завтра и послезавтра. Дни тянулись медленно, но пациент не жаловался и демонстрировал стоическое терпение и покорность. Он не создавал впечатления равнодушного — скорее сдержанного. Он задавал вопросы — ровно те и столько, чтобы выглядеть достаточно заинтересованным своей судьбой. Он не играл — существовал автоматически, исполняя функции среднестатистического любящего сына и среднестатистического пациента, желающего выздороветь.

Джек инстинктивно выбрал единственный способ не привлекать внимания — казаться нормальным. Даже проницательный Сергей Иванович хоть и подозревал, что сын в чем-то лукавит ради его спокойствия, о масштабах фальсификации не догадывался. Несколько раз Кравцов-старший пытался вызвать сына на откровенный разговор, но Иван улыбался — не слишком весело, чтобы не возникло мысли о лукавстве, и не слишком грустно, чтобы не разбудить жалость.

Сергей Иванович вынужденно отступал, понимая, что не имеет веских оснований для начала спасательных действий. Сын вел себя адекватно, пусть и не слишком эмоционально. Так ведь Иван с детства славился отличной выдержкой. А сейчас выдержка —

главный залог успеха. Любое насильственное вмешательство могло ее нарушить. Кравцов-старший предпочел не рисковать.

Каждый день после обеда в палату приходила медсестра, чтобы отвести пациента на прогулку. Обычно она шла рядом, указывая путь, а Джек передвигался самостоятельно. Он не боялся столкнуться с препятствием или споткнуться о ступеньку — и вовсе не потому, что доверял сопровождавшей его женщине. Просто ему нечего было терять. Когда жизнь утрачивает смысл и будущее не сулит ничего хорошего, возможные падения перестают тебя заботить.

Медсестру звали Гретхен — единственным немецким именем, которое нравилось Джеку. Гретхен обладала приятным тембром голоса. Он был обманчиво мягким, и за его певучей нежностью отчетливо слышались властные нотки. Джек мог бы попросить ее описать свою внешность, но не попросил. В его воображении медсестра была высокой, худой и тонкогубой, с черными длинными волосами, стянутыми в тугой пучок на затылке. У нее наверняка есть темная родинка на щеке, и обязательно — на ключице. Гретхен не больше тридцати, она часто покупает яркое агрессивное нижнее белье, но носит неброское бежевое. Живет одна, раз в два-три месяца отправляется в бар, напивается и цепляет первого встречного, о чем впоследствии сожалеет. Джек фантазировал об этом без намека на возбуждение — лишь для того, чтобы чем-то занять голову.

Они прогуливались по больничному двору, где никогда никого не было. Двор покрывал гладкий и словно эластичный асфальт — шагалось по нему мягко и бесшумно. Ближе к забору, где росли деревья, землю посыпали мелкой щебенкой. Именно там и любил расхаживать Джек, слушая, как угрюмо шуршит под ногами гравий. Гретхен шла рядом, предупреждая о встречавшихся на пути деревьях или низко свисающих ветках. Иногда Джек садился прямо на землю, опираясь спиной о прохладный ствол, и подолгу молчал, думая о том, как мало ему удалось пожить... От этого занятия Гретхен отрывала его лишь в крайних случаях, когда в расписании значилась очередная процедура или осмотр.

Происходило это редко, и Джек мог спокойно предаваться апатии. Но чем глубже он погружался в беспросветные мысли, тем чаще ощущал неправильность происходящего. Должно быть, инстинкт самосохранения, почти покинувший его, постепенно возвращался. Джек догадывался, что царившая внутри его пустота однажды полностью разрушит его личность. Следовало остановиться, покуда еще есть шанс на восстановление. Но как остановиться, если нет сил нажать на тормоза?

Эта распирающая пустота — без звуков и запахов — заставляла Джека чувствовать себя персонажем одной из книг Стивена Кинга, в которой герои попадают в аэропорт. Очень странный аэропорт, где нет людей и электричества, спички не горят, алкоголь не опьяняет, ветер не дует, а все предметы лишены своих свойств. И лишь хрустящий звук где-то внизу предупреждает о чем-то неминуемо грядущем.

— Что ты делаешь, когда чувствуешь, что выпала

из жизни? — спросил Джек, когда они с Гретхен вышли на очередную прогулку.

— Пью обезболивающее и лежу пластом, если есть такая возможность, — не удивившись вопросу, ответила его спутница.

— И часто у тебя такое бывает?

— Раз в месяц.

Джек услышал, как она улыбнулась.

— Издеваешься надо мной? — Джек беззлобно усмехнулся.

— Самую малость, — призналась Гретхен.

— Добрая медсестра.

Они замолчали. После полудня стало довольно жарко. Джек расстегнул две верхние пуговицы рубашки и углубился в тень между деревьев. Гретхен не окликала его, значит, он двигался в безопасном направлении. Возле высокого пышного кустарника (тонкие веточки слабо хлестнули по лицу) он остановился.

— Расскажи мне какую-нибудь историю, — без особой надежды попросил он. Медсестра не обязана развлекать пациентов. Обычно тишина не тяготила Джека. Но сегодня тишины не хотелось.

— Про любовь? — живо отозвалась Гретхен.

— Неважно про что.

Она вздохнула:

— В юности я жила в деревне. У нас был милый дом и уютный дворик с палисадником. Однажды к нам повадился ходить соседский котенок. Он перелезал через забор и был очень трогательный. Котенок мне очень нравился. Я думала, что его притягивает моя любовь. А оказалось, ему просто нравилось гадить в свежий песок у нашей клумбы. Вот такая история.

Джек с удивлением обнаружил, что смеется.

— Ты очень романтична, Гретхен.

— Я знаю, спасибо.

— Гретхен...

— Да?

— Чего ты боишься?

Она ответила не сразу, Джек даже подумал, что ее утомили нелепые вопросы скучающего пациента и она больше не намерена поддерживать разговор.

— Больших старинных зеркал, — задумчиво произнесла медсестра.

— Больших старинных зеркал? — переспросил Джек.

— Да. Знаешь, такие, с широкой облезлой рамой и с тусклой амальгамой, где все отражается чужим и нездешним. Они меня пугают.

Джек выдержал паузу и с сомнением в голосе поинтересовался:

— Ты снова шутишь, не так ли?

— Конечно.

— Чувствую себя недоумком.

— Это лучше, чем не чувствовать вообще ничего, — небрежно бросила Гретхен, и эта фраза засела у Джека в мозгу. Возможно, из-за отсутствия сколько-нибудь важных событий он стал придавать значение ничего не значащим банальным вещам. Возможно, слабый импульс, испытанный сейчас, — не реальная эмоция, а всего лишь воспоминание о них. Вроде фантомной боли в ногах, преследующей безногого инвалида. Джеку просто показалось, что бездна внутри его внезапно обрела дно.

— А ты? — Голос Гретхен раздался словно издалека, хотя она стояла на расстоянии вытянутой руки.

— Что я?

— Чего боишься ты? — уточнила медсестра.

Джек повернулся к ней и, зацепив рукой ветку дерева, машинально оторвал листок. Задумчиво покрутил его между пальцами и выкинул.

— Ты не допускаешь, что я тоже отшучусь, уходя от ответа?

— Не допускаю. Обычно люди задают те вопросы, на которые сами хотят ответить.

— Ты медсестра или практикующий психотерапевт?

— Ни то и ни другое. Я просто рядом живу и прихожу в больницу волонтерить. Нравится наблюдать за страданиями людей, — серьезно сообщила Гретхен.

— Второй раз в жизни встречаю такую лгунью, — признался Джек.

— Я обиделась, — снова соврала собеседница.

— На лгунью?

— На вторую.

— Ты выйдешь за меня замуж?

— Конечно.

— Я так и думал. — Джек рассмеялся, следом за ним и Гретхен.

Еще с четверть часа они бродили по пустынному двору, пока медсестра не сообщила, что ее ждут другие пациенты. Уже стоя у дверей своей палаты, Джек неожиданно сказал:

— То, чего я боялся больше всего, происходит в настоящий момент.

Пальцы Гретхен — мягкие и теплые — на секунду коснулись его руки:

— Победить можно только в том сражении, которое началось.

— Гретхен, — окликнул ее Джек.

Но та уже удалялась по широкому больничному коридору, торопясь по своим делам.

Глава 19

■

Лиза шла на поправку, но была еще крайне слаба. Она сильно похудела и стала почти невесомой — когда Тубис приподнимал ее, чтобы напоить куриным бульоном, его сердце сжималось от жалости. Собственная реакция удивляла его. Раньше он бы не возился с невестой, позволив ей уйти. Он не держался за отношения, отравленные скукой. В последние дни с Лизой было скучно, но по странной причине это его не угнетало. Тубис открывал для себя новые эмоции, ощущая неведомую прежде привязанность. Возлюбленная больше не дарила буйного восторга, отказавшись от борьбы и увязнув в бессильном бреду, однако не становилась менее желанной. Даже в болезни и отчаянии Лиза была привлекательна.

Нет, Сан Саныч не планировал с ней расставаться. Не сейчас. Любовь еще слишком жива, слишком горяча.

Лиза сделала последний глоток из кружки и откинулась на подушку. Это крошечное усилие далось ей с трудом — на лбу выступила испарина, глаза закрылись. Она выглядела старой поломанной куклой, беспомощно раскинувшей пластмассовые руки посреди городской свалки. Тубис обтер ее лоб и шею мокрым платком. Он непременно починит свою игрушку. Возродит ее дерзкий нрав и неистовое желание жить. Заставит бороться и мечтать о свободе. Как только Лиза придет в норму, он возьмется за ее воспитание и накажет за недавний проступок. Если бы она не покинула подвал в самый неподходящий момент, Тубису не пришлось бы марать руки и лишать жизни невинную девочку.

Мысли об убийстве Олеси не выходили из головы. С того злополучного дня минуло почти две недели, а душевный дискомфорт от содеянного никуда не исчез. Внешние обстоятельства складывались как нельзя лучше. Пару раз Тубиса вызывали в полицию для дачи показаний, он говорил убедительно и не вызвал подозрений. Влюбленная коллега приехала к Тубису поздним вечером для откровенного разговора, спустя пятнадцать минут он проводил ее до ближайшей автобусной остановки. Вероятно, именно там на нее было совершено нападение. Поблизости оперативники обнаружили мобильный телефон пропавшей.

На время следствия Сан Саныча попросили не выезжать за пределы города. На всякий случай. Доказательств причастности Тубиса к исчезновению коллеги у полиции не было. Маньяк умел избавляться от улик и заметать следы.

За спиной раздались тихие шаги мягких лап: Анька просунула морду в приоткрытую дверь и внимательно осмотрела тесное помещение. Встретившись взглядом с хозяином, отрывисто гавкнула и демонстративно уселась у порога, требуя внимания.

— Иди во двор, не на что тут смотреть, — велел Тубис.

Овчарка проигнорировала его слова, не двинувшись с места.

— Тяжело с вами, — устало вздохнул хозяин, поднимаясь на ноги. — А ну пошли. — Он мотнул головой, призывая собаку идти следом, и покинул комнату.

На улице было солнечно, Тубис на секунду зажмурился, привыкая к яркому свету. Погода установилась по-летнему жаркая, днем температура поднималась до 25, а то и до 30 градусов. В деревне было приятно: воздух свеж, деревья тенисты, водоем поблизости. Вдоль его неряшливого дикого берега Сан Саныч прогуливался с Анькой по вечерам. Собаку он перевез во временное убежище, чтобы сторожила пленницу. В нынешнем состоянии Лиза вряд ли способна на побег, а вот подстраховаться от нежданных гостей не мешает. Мало кто отважится пробраться во двор, охраняемый здоровенной овчаркой. В эту деревеньку Тубис наведывался не чаще двух раз в сутки, большую часть времени проводя в своем «официальном» доме, чтобы не вызывать подозрений.

Аньку такое положение дел не устраивало; она красноречиво выражала недовольство, однако нарушать приказ не решалась.

— Не плачь, сейчас пройдемся, — пообещал Тубис, глядя на притихшего питомца. И тут же поспешно забежал в дом. Так и есть — забыл запереть чулан. К счастью, прошло не больше минуты, Лиза не заметила оплошности тюремщика и все так же лежала в полусне, разметавшись меж смятых одеял. Стараясь не шуметь, Сан Саныч притворил дверь и задвинул засов.

У водоема пахло тиной и подгнившим камышом. Тубис с собакой шли вдоль берега, то и дело обходя встречавшиеся на пути преграды — массивные коряги, поваленные деревья и наполненные грязевой жижей ямки. Среди прелой листвы попадались пустые бутылки из-под пива и водки — деревенские пьянчуги привечали это убогое местечко. Ни по дороге к водоему, ни на берегу Сан Саныч не встретил ни единой живой души.

Анька исчезла в зарослях, учуяв что-то интересное. Тубис приглядел сухой пенек и присел, задумчиво уставившись на мутноватую, сверкающую под солнцем поверхность пруда. Лениво квакали лягушки, кукушка то заводила, то обрывала монотонный счет, изредка над ухом пролетал какой-нибудь жук, чье сердитое жужжание было самым громким звуком в лесной тишине.

Тубис перенесся на десять лет назад в ту волнительную ночь, когда он освободил первую возлюбленную и переродился. Было около четырех утра. Он сидел на кровати возле мертвой Тамары и переживал мучительно прекрасное превращение. Он долго томился в тесном темном коконе, но теперь наконец-то созрел и выбрался наружу. Существо, появившееся на свет, было чистым и сильным. И за его спиной дрожали упругие прозрачные крылья.

Хотелось поведать всему миру о произошедшем волшебстве. Но из целого мира он выбрал одного человека, достойного приглашения на праздник. Сестра должна разделить его восторг. Должна понять. Он надеялся до последнего. Даже когда прочел в ее глазах ужас и осуждение.

Сестра отвергла триумф брата. И это было больно. Очень больно.

Вероника жила по правилам. Ни отклонений от нормы, ни оригинальных мыслей. Сестра была скучна, как фабричный манекен. Все ее эмоции просчитывались мгновенно и без усилий. Она наверняка сразу же догадалась о том, что случилось в дачном домике. Любой бы догадался. Жених специально не тронул красноречивые следы брачной ночи. Он испытывал Веронику. Но та не прошла испытания, предпочтя зарубить на корню ужасные подозрения. Все эти годы сестра гасила воспоминания, чтобы в ее глупой голове не возникла неудобная мысль.

«Мой брат — убийца» — так ведь, сестренка? Именно так ты подумала, разглядывая труп Тамары? Подумала и испугалась, — мысленно обратился Тубис к воображаемой собеседнице. — Испугалась, потому что привыкла к шаблонам. Все, что выходит за рамки привычного, требует слишком много умственных и душевных ресурсов. Ты не хотела напрягаться, не так ли?»

Тубис снял очки и зачем-то повертел их в руках. Картинка перед глазами поплыла, размыв привычные очертания предметов. Неудачная наследственность.

Сестре тоже не повезло со зрением. Он снова надел очки.

Сан Саныч не верил в сообразительность Вероники. И все же год за годом подстегивал ее любопытство, посылая ей письма. Он ждал, когда она потеряет терпение и отважится взглянуть правде в лицо. Впрочем, «ждал» — это метафора. Тубис не следил за сестрой, оставаясь не в курсе ее телодвижений. Он всего лишь фантазировал о том, как поступит Вероника, сложив два и два и осознав очевидное. Попытается разыскать брата? Заявит на него в полицию? Скорее, второе. Десять лет — достаточный срок для генезиса. Возможно, сестра повзрослела и преисполнилась надежд отдать ненормального брата в руки правосудия. Она очень удивится, когда узнает, что ее брат давно уже *мертв*. Блестяще сыгранная партия. Шах и мат.

Венечку Волкова считали необщительным ребенком. Он не играл с ровесниками, не интересовался доступными для детворы развлечениями. Родителей немного беспокоила замкнутость сына, однако в глубине души они лелеяли мысль об избранности и уникальности своего ребенка. Он умел вести себя в обществе, был вежлив со взрослыми и не по годам сообразителен. Когда сын начал заниматься в шахматной секции, мать почти не сомневалась: его ждут грандиозные успехи, и всем рассказывала, что в семье подрастает будущий гроссмейстер.

Венечка действительно быстро освоил шахматы. Несмотря на свою очевидную одаренность, нос не задирал, хотя и держался особняком. И никто бы не подумал, что Венечка Волков способен на крепкую настоящую дружбу, если бы однажды в шахматную секцию не пришел новый мальчик — Сашка Тубис.

Они сблизились мгновенно. После первой же тренировки, сыграв друг с другом несколько партий, мальчишки ушли домой вместе. Впервые Венечка кем-то всерьез заинтересовался.

Сашка был на полгода старше и на полголовы выше. Играли они на равных, Веня предпочитал более осторожную манеру, а его товарищ любил агрессивный, рискованный стиль. Он мог пожертвовать несколько фигур, чтобы самым неожиданным образом отыграться. Эта способность выкручиваться из отчаянного положения восхищала Веню. Он старательно расставлял ловушки, противник попадался, и, казалось, итог шахматной партии предрешен, когда Сашка вдруг делал провокационный, почти нелепый ход и поворачивал ситуацию на сто восемьдесят градусов.

Они играли восторженно и самозабвенно, наслаждаясь процессом, изучая и удивляя друг друга. Они намного превосходили своих ровесников в мастерстве. Но мальчишек объединяли не только шахматы. Вне игры им было друг с другом не менее интересно.

Сашка жил с бабушкой. Ни родителей, ни других родственников у пацана не было. Сам он не вдавался в подробности и причины своего семейного неблагополучия, а Веня и не спрашивал, не желая смущать новоиспеченного друга. Единственное, что Сашка посчитал нужным уточнить, — родители его погибли много лет назад, когда он был еще совсем маленьким. Как погибли и где — об этом умолчал.

Бабушка Сашки имела характер боевой, но преимущественно на словах. В дела внука не вмешивалась, на путь истинный не наставляла, к домашней работе не привлекала — хотя и угрожала это сделать многократно.

Обычно после занятий пацаны прямиком отправлялись к Сашке — благо жил он рядом со школой, в десяти минутах ходьбы. Хватали со стола батон, переламывали его пополам и, жадно вгрызаясь в хлебную мякоть, убегали в комнату. Бабушка злилась и ворчала: мол, вечно нажрутся хлеба, потом от нормального обеда нос воротят. Обещала, что в следующий раз насильно усадит их за стол и вольет в глотки по две порции борща. Мальчишки на страшные бабушкины посылы не реагировали, знали, что на крайние меры она не способна.

Иногда, напустив на себя суровость, бабушка входила в комнату, намереваясь привлечь ребят к общественному труду. Но видя, как увлеченно мальчишки играют с солдатиками, разыгрывая эпические сражения, так и застывала в дверях.

Играли по очереди — то за русских, то за немцев. Сашка брал пленных, а Веня не великодушничал, врагов расстреливал на месте. Наблюдая, с какой холодной сосредоточенностью дружок внука палит из воображаемого пулемета, бабушка не сдерживалась и охала:

— Убивец ты, Венька. Всамделишный убивец! Что из тебя только вырастет! — Пожилая женщина со-

ТАТЬЯНА КОГАН

крушенно качала головой и уходила на кухню, бормоча под нос. Ничего против Венечки она не имела. Мальчик он был неглупый, учился хорошо, за ним и раздолбай Сашка подтянулся, даже стал уроки делать. А раньше, бывало, не заставишь учебник открыть — за шахматами все время просиживал, о школьных предметах и не думал. Что ни говори, толк от дружбы есть.

Пацаны хоть и были еще малышня малышней, а смекнули быстро: такое совпадение душ и умов меж людьми встречается нечасто. Оба понимали свое везение, оба держались за нежданную дружбу. И хотя характеры у мальчишек отличались, серьезных споров никогда не возникало. Сашка был пошумнее и порезвее, Венечка потише и повдумчивей. Первый обычно сыпал идеями и предлагал различные игры, второй отбирал лучшие и совершенствовал правила. Сашка развивал отношения и вносил в них свежее дыхание, а Венечка сохранял и уравновешивал. Каждый понимал и принимал свою роль и никогда не тянул одеяло на себя, интуитивно чувствуя, что только так возможен удивительно редкий и драгоценный баланс.

Несмотря на различие характеров, мальчишки все же во многом походили друг на друга. Оба не любили выпячиваться и попадать в центр внимания, оба имели довольно узкий круг интересов и находились на своей собственной, непонятной для остальных волне. Даже внешне они имели некоторое сходство: оба крепенькие, темно-русые, с крупными чертами лица, близорукие. Разве что Сашка носил очки в дешевой толстой пластмассовой оправе, а Венечка хо-

228

дил франтом — мама лично подобрала ему стильную тонкую оправу.

Про своего закадычного товарища Венечка Волков ни родителям, ни сестре не рассказывал — те сразу бы полезли с расспросами, в гости бы стали звать. К чему такая суета? Куда спокойнее существовать обособленно, не посвящая остальных в подробности своей жизни. Так они дружили, тихо и мирно, никого не впуская в свой круг.

После окончания школы видеться стали реже — учеба в институте, потом работа. Кроме того, появилась у Сашки одна нехорошая слабость — выпивать начал. Сперва оправдывался тем, что после смерти бабушки остался совсем один, потом божился, что бросит пить в любой момент без проблем. Вениамин с недоверием слушал пьяные излияния приятеля, но насильственных спасательных операций не инициировал. Сашка был человеком взрослым и самодостаточным, имел право идти по собственному пути. Жаль, конечно, что алкоголь мешал нормальному общению, даже в шахматы Тубис стал частенько проигрывать — а ведь раньше Волкову приходилось изрядно потеть, чтобы идти с ним вровень. Но тут уж ничего не поделаешь. Кто-то однажды останавливается, а кто-то развивается дальше.

С годами пристрастие к спиртному усугубилось. Толковой работы Сашка не имел и, чтобы выгадать денег на выпивку, разменял большую бабушкину квартиру на скромную однушку. Разменял неудачно. Предполагалась солидная доплата — этих денег хватило бы надолго. Но риелторы-проходимцы так провернули сделку, что Тубису достались сущие крохи. Вениамин узнал об этой несправедливости слишком поздно — аферистов давно и след простыл.

Пару раз в месяц Волков проведывал товарища. Иногда Сашка встречал его абсолютно трезвым, и Вениамин с радостью узнавал прежнего друга — бойкого, остроумного. Они садились за шахматную доску, и Тубис выигрывал партию за партией, проникшись внезапным озарением. Впрочем, длилось это благословение недолго. Тем же вечером Тубис напивался, обмывая победу, и не просыхал неделями.

Однажды поздней дождливой осенью Волков приехал к товарищу. Они не виделись уже месяца полтора, а то и два — после расставания с Тамарой Вениамин решил покинуть родной городок и обосновался в райцентре в пяти часах езды на электричке. На звонок в квартиру Тубис не отреагировал, поэтому Волков открыл своим ключом — товарищ сам дал ему запасной.

В помещении было темно и пыльно. Вениамин прошел в комнату, но ничего не увидел. Занавески намертво закрывали окно и казались продолжением стены. Волков нащупал включатель и зажег лампу. На продавленном диване в дальнему углу комнаты лежал Сашка. На полу валялось несколько пустых бутылок, стеклянная кружка была наполовину заполнена окурками. Вениамин двинулся вперед, намереваясь растолкать товарища и привести его в чувство. Приблизившись к дивану, Волков остановился. Несколько минут он стоял, разглядывая неподвижную фигуру Тубиса, а затем осторожно коснулся его плеча, подтверждая внезапные подозрения.

Сашка был мертв.

Вениамин отдернул занавески, впуская в помещение тусклый пасмурный день. Опустился на подлокотник дивана и долго сидел, оцепенело глядя в одну точку. Резко поднялся, подошел к комоду и стал выдвигать ящик за ящиком в поисках документов. Спустя полчаса позвонил в «Скорую». Прежде чем впустить врачей в квартиру, снял с Тубиса старомодные квадратные очки и надел на него свои — аккуратные, с прямоугольными линзами.

Вскрытие показало, что Сашка скончался от инсульта двое суток назад.

Лучшего друга он хоронил в одиночестве. На могильной табличке значилось:

«Волков Вениамин Михайлович, 12.01.1973 — 13.10.2004».

Глава 20

■

Чуть меньше двух недель прошло после операции, но никаких изменений со зрением, вернее, его отсутствием, не наблюдалось. Джек по-прежнему пребывал в апатии, не особенно интересуясь происходящим, однако не забывал имитировать человеческие реакции, дабы не смущать отца. Кравцов-старший приходил каждый день вопреки советам сына сократить количество посещений.

За это время Сергей Иванович консультировался еще с несколькими врачами, и все они подтверждали слова доктора Вангенхайма: прошел слишком малый срок после операции, чтобы предпринимать новые активные действия. Преждевременное вмешательство может навредить и без того нестабильному состоянию глаз. Пациент должен набраться терпения и проходить все процедуры, которые от него требуют.

Пересказывая эти выводы сыну, Кравцов-старший опасался, что тот впадет в еще большее уныние. Но безрадостные новости Иван принимал стойко. Пожалуй, слишком стойко. И этот факт всерьез беспокоил отца. Он стал подозревать, что сын работает на публику, тогда как на самом деле едва справляется с навалившимся на него испытанием.

Сергей Иванович вошел в палату с намерением докопаться до истины.

— Я вытрясу из тебя правду любой ценой, так и знай, — вместо приветствия сообщил он.

— Ого. Звучит угрожающе. Бить будете, папаша? — усмехнулся Джек, усаживаясь на кровати.

— Если придется, — без намека на улыбку произнес Кравцов-старший.

— Видно, здорово я тебя достал.

— Не глупи, Иван. — Сергей Иванович встал напротив сына, заведя руки за спину и сильно сжав ладони. — Сегодня я не настроен на шутки. Если тебе требуется психологическая помощь, я немедля договорюсь о консультации.

Джек устало вздохнул:

— Пап, ну какая психологическая помощь? Ты забыл, кто я по образованию? Я действительно позволил себе немного расслабиться и посмаковать депрессию. Но я контролирую это. Я в порядке. Если не веришь, спроси у Гретхен.

— Гретхен? Кто такая? — по-военному осведомился отец.

— Медсестра. Она водит меня на прогулки. — Фраза прозвучала так нелепо, что Джек не сдержал улыбки. — Мы с ней иногда беседуем. И я вряд ли успел ее предупредить о том, что она должна отвечать на твои вопросы о моем душевном состоянии.

— Мне не нужна медсестра, чтобы вычислить истинное положение дел. Не буду скрывать, меня беспокоит твое здоровье, но твое настроение волнует куда сильнее. — Отец громко выдохнул. — Иван, я знаю, ты не приветствуешь сантименты и неуместную откровенность. Но сейчас тот случай, когда сдержанность еще более неуместна.

Джек хотел продолжать гнуть свою линию, но понял, что упустил момент. Отец больше не потерпит его притворства. Кравцов-старший никогда не торопился с выводами, но если уж приходил к определенному заключению, то не изменял его без веских оснований. А не слишком убедительные доводы сына меньше всего походили на веские основания.

— Ладно, сдаюсь. — Джек шутливо поднял руки. — Я действительно немного запустил процесс. Не стоило позволять себе подобную слабость.

— Это не слабость, Иван, — повысил голос Сергей Иванович. — Это глупость. В слабости нет ничего унизительного, невозможно быть всегда на коне. Иногда приходится идти пешком или ползти на брюхе. Ты можешь даже остановиться на какое-то время.

233

Это нормально. Ненормально, когда ты перестаешь желать выжить, победить, вернуть зрение. Когда ты добровольно вгоняешь себя в безразличие, обесценивая свою жизнь, это и есть настоящая глупость. В любом состоянии духа можно добиться достойных результатов. В любом состоянии, кроме того, в котором ты сейчас находишься. — Кравцов-старший устало опустился рядом на кровать и с грустью посмотрел на сына: — Когда ты ничего не хочешь, ты ни к чему и не придешь. Понимаешь ты это, Иван?

Джек ощутил легкий укол совести. Отец говорил правильно, трудно не согласиться с его доводами. Подобную проповедь психотерапевт Иван Кравцов неоднократно озвучивал своим пациентам, недоумевая, почему большинство людей самостоятельно не приходят к элементарным выводам. И уж никак не предполагал, что однажды сам окажется на месте этого большинства. Даже собственный мозг, изученный с пристрастием вдоль и поперек, порой преподносит сюрпризы, игнорируя проверенные опытом знания.

Джек осознавал, что причиной пустоты, поглотившей его, является он сам. Никто другой не сможет его вытащить из вакуума. Наверное, если очень сильно постараться, он сможет себя спасти. «Но хочу ли я этого спасения?» — подумал он и мысленно усмехнулся. Ответ был очевиден. Тот факт, что он размышляет на эту тему, говорит о многом. Решение зрело в нем на протяжении последних дней, отец лишь ускорил его принятие.

— Ты прав. Нужно выбираться, — тихо произнес Джек, ощущая, как неловкость от откровенного разговора сменяется слабой надеждой. Может, жизнь еще не окончена. Кто знает, что ждет его за поворотом. И пусть сейчас верой в светлое будущее даже не пахнет и темнота над его головой все так же пугающе глубока, стоит попробовать разбудить любопытство.

— Это не очередная попытка отделаться от меня? — Сергей Иванович внимательно посмотрел на сосредоточенное лицо сына, в который раз отметив, как сильно они похожи — и внешностью, и характером. — Я могу тебе доверять?

— Ты можешь мне доверять, — чуть помедлив, ответил Джек.

— Вот и хорошо, — с облегчением выдохнул отец и поспешил сменить тему: — Вчера мать безуспешно пыталась достучаться к тебе по скайпу. Так что позвони ей сегодня с московского телефона, соври что-нибудь.

— Я скажу правду.

— Гм?

— Скажу, что сутками пропадаю в больнице.

Губы отца растянулись в улыбке:

— И то верно. Кстати, пару дней назад мне звонил твой друг Максим. Новостями интересовался, привет передавал. Я заметил, ты не слишком балуешь товарищей общением?

— Каюсь. Не до общения было, — неохотно отчитался Джек.

Сергей Иванович неопределенно пожал плечами:

— Смотри сам. Я не очень близко знаком с твоими приятелями, в школе вас нельзя было заманить домой, вы все больше по дворам ошивались, а потом

TATbsHA KOTAH

ты подрос и подавно стал самостоятельным. Но кажется, они неплохо к тебе относятся. У вас крепкая компания, не так ли?

«Была крепкой», — подумал Джек. И хотя на этот счет он не испытывал большой горечи, все же данная мысль неприятно кольнула. С момента потери зрения это было первое полноценное воспоминание о друзьях. Им вместе бывало весело. Отец прав, не стоит отгораживаться от близких. Джек решил, что завтра обязательно наберет Макса или Глеба. Обрадовать их он ничем не сможет, зато, вероятно, услышит что-нибудь любопытное. Удалось ли им идентифицировать анонимного врага? Объявилась ли Елизавета? Собирается ли Макс организовывать новую фирму? Чем планирует заняться Глеб? Оказывается, есть достаточно вопросов, которые если не волнуют его, то в какой-то степени ему интересны.

Отец предложил пройтись, но Иван отказался, сославшись на то, что для этой цели к нему прикреплен «специально обученный персонал». Джек не хотел отнимать много времени у отца, чей мобильный и без того беспрестанно звонил. И хотя Кравцов-старший старался свести деловые переговоры к минимуму, проведывая сына, некоторые вопросы бизнеса не терпели отлагательств. Имел Джек и свой личный интерес: Гретхен. Ему нравилось общество этой необычной медсестры. Впрочем, необычным в ней было разве что умение развлечь собеседника, не прилагая к этому никаких усилий.

Из открытого окна доносилась заливистая птичья трель. Пернатые заходились звонким, радостным щебетом, празднуя начало лета. Джек любил лето, особенно московское, с его пыльным зноем и изматывающей духотой. Раньше психотерапевт Кравцов никогда не брал отпуск в летние месяцы, с профессиональным интересом наблюдая, как тяжело дышит больной организм города, измученный высокой температурой и лихорадочной тоской. Мюнхенское лето было другим. В нем не ощущалось надрыва и подавленной истерики, и кисловатый запах безысходности не клубился по узким опрятным улочкам. Мюнхенское лето было спокойным и стерильным, как и сам город. Иное лето, непривычное.

Джек подумал, что перепробовал уже все. Практически все, за исключением неосуществимых фантастических вариантов. Но ничего не получалось. Совсем ничего. Иногда приходится опустить весла и надеяться на чудо. Иногда жизненно необходимо, чтобы чудо произошло. Потому что по-другому уже никак.

Джек пообещал отцу, что заставит себя бороться, чтобы вернуть вкус к жизни. Но сил для борьбы у него попросту не осталось. Он честно пытался наполнить себя топливом, но создавалось впечатление, что пропасть внутри его бездонна. Джек даже не услышал эха, когда бросил туда камень. Он все еще летел.

Пациентам, которые в прошлом жаловались психотерапевту Кравцову на схожие проблемы, он цитировал китайского философа Чжуан-цзы: «Научись видеть, где все темно, и слышать, где все тихо. Во тьме увидишь свет, в тишине услышишь гармонию». Но если раньше эта фраза казалась ему тонкой и оригинальной, то сегодня — донельзя плоской и пошлой.

— Приоритеты меняются.

— Прости, ты что-то сказал, должно быть, по-русски. Я не поняла. — Мягкий голос заставил Джека вздрогнуть. Гретхен вошла в палату тихо, он и не заметил.

— Не обращай внимания. Просто мысли вслух. — Джек улыбнулся, приветствуя медсестру. — А ты зачем подкрадываешься? Хотела напугать?

— Конечно. Это то, что я всегда делаю, увидев слепого.

— Купи себе сердце, чудовище.

— Такая покупка мне не по карману, — фыркнула Гретхен. — Не очень-то разбогатеешь, выгуливая инвалидов.

— Разве тебя не должны уволить за такие разговоры? — сдерживая улыбку, обронил Джек. Пикировки с Гретхен бодрили его и поднимали настроение.

— Ты ведь не нажалуешься на меня? — осторожно уточнила собеседница.

— Может быть, позже.

Оба рассмеялись. Смех у Гретхен был грубоватый, лишенный кокетства. Джеку нравился ее смех.

Они спустились во двор, и последующие тридцать минут медсестра признавалась пациенту, что если во время ПМС выйти на улицу и посмотреть на людей, то сразу становится понятно, что Бога нет. Джек даже не утруждался делать серьезный вид. Ему было весело, и воинственный настрой спутницы только способствовал этому.

Внезапно Гретхен умолкла. В течение пяти минут они шли молча, пока Джек не выдержал.

— Что-то случилось?

Ответа не последовало.

Он слегка напрягся и повторил вопрос.

— Я отрицательно покачала головой, — объяснила Гретхен.

— Очень мило, учитывая мою слепоту.

— Прости. Засмотрелась на тебя. Ты сегодня иначе выглядишь.

Под ногами шуршал гравий, пугая прятавшихся в ветвях птиц, откуда-то доносился слабый запах масляной краски, в высоте гудели двигатели пролетающего самолета.

— Иначе?

— Да. Вчера ты походил на умирающего от СПИДа. А сегодня у тебя будто всего-навсего ангина. — Гретхен помолчала и добавила: — Или геморрой. Или сифилис. Или...

— Не продолжай, — перебил ее Джек. — Я понял.

— Ну вот.

— Ничего не изменилось.

— Может быть, нет, а может быть, и да, — загадочно протянула Гретхен.

Повисла пауза.

— Справа от меня ель или пихта? — немного погодя спросил Джек. — Сильно пахнет хвоей.

— Пихта.

Они снова замолчали. На этот раз тишину нарушила Гретхен:

— Вчера ты говорил, что испытываешь ко мне благодарность. Это так?

— Так.

— Ты абсолютно в этом уверен?

— Уверен, Гретхен. К чему ты ведешь? — Джек остановился, чтобы лучше разобрать интонации ее голоса.

— Мне от тебя кое-что нужно, — беззаботно сообщила она, но Джек уловил легкое напряжение. Очевидно, ей был крайне важен его ответ.

— Я сделаю все, что в моих силах.

— Это в твоих силах.

— Хорошо.

Гретхен удовлетворилась ответом и продолжила прогулку, не намереваясь развивать тему. Джек застыл в недоумении.

— Ты не озвучила свою просьбу.

Успевшая сделать несколько шагов медсестра обернулась:

— О, я озвучу ее, когда ты окончишь лечение. И ты, кстати, сможешь отказаться.

Он двинулся с места и поравнялся с ней.

— Заинтриговала.

— Я умею.

— У тебя ведь есть родинки — одна на щеке и вторая на ключице? — спросил Джек.

— Конечно, — с готовностью подтвердила Гретхен.

Он улыбнулся. Обычно, когда люди лгут, голос теряет выразительность и становится вялым. Гретхен врала с исключительным воодушевлением.

По ту сторону забора ехавший вдоль дороги велосипедист звякнул звонком, прося посторониться зазевавшихся пешеходов.

ЧЕЛОВЕК БЕЗ СЕРДЦА

Пребывание в любой клинике не предполагает особых развлечений. А уж если тебя лечат немецкие врачи, то будь готов подчиняться строгому расписанию и незыблемому порядку. Каждое утро после завтрака Джека осматривал доктор Вангенхайм или его помощница, обычно это занимало не более получаса. Пациент принимал витамины и прописанные медикаменты, после чего имел в своем распоряжении час-полтора, пока не придет отец. Сергей Иванович заскакивал перед обедом, рассказывал новости и расспрашивал о самочувствии. Иногда они выбирали какую-то тему и заводили дискуссию, соревнуясь друг с другом в красноречии. В два часа приносили обед — обычно это был постный суп, рыба с гарниром, салат из свежих овощей и чай с кексом. В первый же день Кравцов-старший позаботился о том, чтобы его сыну готовили вегетарианское меню.

После обеда Джек слушал новости, заставляя себя интересоваться происходящим в мире. Насильственные действия не прошли даром — мало-помалу пациент переставал концентрироваться на своей проблеме, и вакуум, в котором он дрейфовал последнее время, постепенно заполнялся. Перемены в душевном состоянии были пока еще слишком незначительны, чтобы воспринимать их всерьез, но достаточны, чтобы Кравцов-старший обратил на них внимание.

Затем в палату наведывалась медсестра (чаще всего Гретхен), и они отправлялись во двор на прогулку. Джек запросто мог самостоятельно спуститься на первый этаж и выйти на свежий воздух — путь он изучил досконально. Иногда он так и поступал, однако чаще предпочитал компанию Гретхен.

Джек не испытывал к ней сексуального влечения — в конце концов, он даже не знал, как она выглядит, хотя и создал в воображении вполне конкретный образ. Тем не менее его тянуло к этой циничной медсестре с совсем не немецким темпераментом. Она обладала выдержкой и высокой самоорганизацией, но при этом относилась к жизни не слишком серьезно. Умела дурачиться, и это качество импонировало Джеку. Нет ничего скучнее строгой женщины.

После прогулки Джек слушал аудиокниги или музыку или же размышлял, покуда не наступало время ужина. Вечером отжимался и качал пресс, игнорируя запрет на физические нагрузки. Перед сном он подолгу стоял у окна, слушая звуки вечернего города, — а точнее, пытался слушать, ибо район был тих, как ночь на украинском хуторе. Засыпал не сразу, долго ворочался. Видел один и тот же сон — будто зрение вернулось.

День выдался особенно жарким и тоскливым. Обычно до Джека доносился деликатный больничный шум — легкие шаги медсестер, редкое хлопанье дверей, далекий звон телефона, чей-то быстрый обмен фразами, упругое трение колес колясок по скользкому полу... Сегодня клиника словно вымерла. Никто ничего не ронял на пол, не спешил, не переговаривался. Джеку казалось, что кроме него в здании нет ни души.

Он взял мобильный и набрал номер Макса. Тот

искренне обрадовался звонку, и Джек ощутил неловкость оттого, что долго отказывался от общения. Они побеседовали минут пятнадцать, на вопросы о здоровье Джек отвечал уклончиво; гораздо больше его интересовали московские новости. Оказалось, Елизавета так и не нашлась. Около двух месяцев назад она была объявлена в розыск как без вести пропавшая. Макс регулярно теребит полицию, но новых сведений об исчезновении госпожи Гончаровой не появилось. Нанятый детектив облажался по полной программе, не выяснив сколько-нибудь полезных данных про анонимного мстителя.

— Это, старик, какая-то засада по всем фронтам, — подвел итог Максим, тяжело выдыхая в трубку. — Давай хотя бы ты нас порадуй. Возвращайся со зрячими глазами. Передай своим фашистам, чтобы они постарались.

— Обязательно передам, — невесело ответил Джек. На несколько минут он позабыл о своей слепоте, погрузившись в увлекательные проблемы и прикидывая, с каким энтузиазмом примется за их решение. Но друг своевременно вернул его на землю, напомнив о собственной ущербности. Та сказочная жизнь, когда Джек был мобилен и независим и мог запросто позволить вовлечь себя в сомнительную аферу, осталась позади. Теперь он даже не способен управлять автомобилем.

— Лады, старик, будем на связи. Держись там, — Макс говорил бодро, но Джек отлично понимал, что он всерьез обеспокоен и от подавленности его отделяют считаные шаги. Макс нуждался в поддержке — слишком много неприятностей навалилось на него. В иной ситуации Джек непременно нашел бы правильные слова, но сейчас не ощущал в себе достаточно сил. Он сам находился в опасной близости к отчаянию, и лишь данное отцу обещание удерживало его на плаву.

Джек вспомнил январский вечер, когда они с Максом и Глебом несколько часов торчали на морозе, подкарауливая мужа Елизаветы. Они должны были убить мерзавца, избивавшего слабую женщину и угрожавшего забрать у нее ребенка. Именно эту версию озвучила Елизавета, ища поддержки у друзей. Макс был готов на любые подвиги ради спокойствия возлюбленной подруги. Глеб, хоть и подозревал Елизавету во лжи, не смел отказаться, чувствуя себя обязанным. И только Иван Кравцов знал правду. Лизе надоел контроль, и она выбрала самый быстрый и циничный путь освободиться от тягостных брачных уз. Нравственность и сострадание никогда не являлись ее коньком. Джек же согласился участвовать в убийстве по нескольким причинам. Во-первых, это было опасно, а он испытывал потребность в адреналиновой встряске. Во-вторых, после того, как осуществится желание подруги, наступит его очередь воспользоваться правом круга. Джек планировал осуществить эксперимент по внушению искусственной амнезии и нуждался в содействии товарищей. А в-третьих, еще никто из четверки ни разу не отказывался от *игры*. Начавшись, круг должен быть завершен.

Джек не был бесчувственным циником. Он знал, что кровь на собственных руках будет тяготить его, поэтому предпринял пусть нечестное, зато рациональное решение. Когда они с друзьями практиковались в стрельбе у Макса на даче, Джек специально палил мимо, с трудом попадая в крупные цели. С такой сомнительной меткостью участие Ивана в предстоящем мероприятии ставилось под вопрос. Какой смысл вручать оружие тому, кто промажет мимо мишени? Сошлись на том, что Джек, хоть и пойдет на дело, стрелять не будет. Функция наблюдателя его удовлетворила. Кто-то должен следить за тем, чтобы преступники не попались на глаза случайным свидетелям.

Джек никогда не раскаивался в своих поступках. Еще недавно, вспоминая события полуторагодичной давности, он не увидел бы подлости в содеянном. Что бы изменилось в картине мира, если бы в Андрея Гончарова попали пули, выпущенные из трех пистолетов, а не из двух? Супруг Елизаветы умер бы на долю секунды раньше, а психотерапевт Иван Кравцов долго и мучительно размышлял бы о собственном моральном облике.

Хорошо, что отец при встрече с Максом и Глебом не стал вспоминать детство и отрочество сына. В частности, как Кравцовы старший и младший ходили по воскресеньям в тир, где Ванюша постоянно выбивал из пневматической винтовки десять из десяти, раз за разом выигрывая приз. У него была врожденная меткость.

Да... Джек никогда не раскаивался в своих поступках. Он умел убеждать себя в правильности тех или иных действий. Однако разговор с Максимом растревожил его, всколыхнул в душе нечто преданное забвению. Будто мощное землетрясение сдвинуло монолитные плиты, обнажив неведомые прежде глубины. Он внезапно увидел то, что прежде не замечал — целенаправленно или случайно. И увиденное неприятно поразило его.

Джек грациозно успокаивал свою совесть тем, что не убил ни одного человека. Беременную любовницу Макса сбил Глеб, а Елизавета не вызвала «Скорую», поэтому женщина погибла. В Андрея Гончарова и его охранника стреляли Макс и Глеб, Джек даже не прикасался к оружию. Условно говоря, юридически Иван Кравцов был чист. Относительно. Но фактически являлся непосредственным участником преступлений.

Джек всегда считал, что обладает здоровым цинизмом. Но теперь, оглядываясь в прошлое, с удивлением осознал, что здорового в его поступках и отношении к ситуации не было абсолютно ничего.

Он ведь знал, что Лиза лгала о поведении супруга. Тот не избивал ее, не издевался, не угрожал. Она хотела его смерти, исключительно потакая своим капризам. Если бы Джек поведал об этом Максу и Глебу, они наверняка отказались бы от убийства, плюнув на незыблемость правил круга. Но тогда психотерапевт Кравцов перенес бы начало вожделенного эксперимента на неопределенный срок. А сил терпеть почти не оставалось. Джек сознательно спровоцировал убийство невинного человека ради скорейшего осуществления собственной прихоти. Которая, на минуточку, тоже предполагала насилие. И проблема не в том, что он слукавил перед друзьями о своей меткости. Проблема в том, что смерть как минимум двух человек лежит на его совести и это его нисколько не угнетало.

«Что же, герр Иван, ты упустил самое важное? — мысленно спросил себя Джек. — Научился с легкостью определять грани безумия пациентов и при этом не заметил собственной ненормальности».

Джек не причислял себя ни к святым, ни к мерзавцам. Отдавал отчет своим достоинствам и недостаткам и был удовлетворен сложным, но цельным образом. И жил бы он и дальше долго и счастливо, пребывая в добровольном неведении о том, кем являлся на самом деле. «А являешься ты мерзавцем. Обыкновенным мерзавцем, герр Иван...»

Эта мысль так больно ранила, что хотелось вырвать ее из головы и растоптать, растереть в порошок. Чертова слепота. Провоцирует искренность. В темноте притворство теряет смысл.

Джек попытался остановить поток откровений, но понял, что бессилен перед его мощью. Он был уверен, что знает себя от и до: все свои страхи, надежды, тайные помыслы. Он не сомневался, не усложнял, не сожалел. И был счастлив, действительно счастлив, пока истинное «я» не вырвалось наружу.

Мысли, одна неприятнее другой, вспыхивали в мозгу с болезненной яркостью. Кравцов вспомнил, как обрадовался шансу внушить Глебу искусственную амнезию. Он даже чувствовал гордость, понимая, что спасает друга. Ведь если бы Глебу вовремя не стерли память, он бы совершил суицид, будучи не в состоянии выносить душевные муки. Но по большому счету кто, если не Джек, способствовал возникновению ситуации, разрушившей жизнь товарища? Он не предотвратил циничное убийство, свалил грех на Макса и Глеба, в результате чего второй просто не справился с психологической нагрузкой.

Джек сжал виски, опасаясь, что голова разорвется. Сейчас не тот момент, когда надо сожалеть о прошлом. Если не остановить гнетущие мысли, сознание не выдержит давления и даст сбой. Будь проклят тот вечер, когда он решил заехать в бар. Если бы отправился в спортклуб, в гости, домой — куда угодно, — трагедии бы не произошло. Он бы по-прежнему видел. И не узнал бы унизительную правду о себе самом.

Боже, как хочется видеть...

Глава 21

Глеб вышел из здания бассейна еще более злым, чем входил туда полтора часа назад. Физическая нагрузка всегда помогала ему привести мысли в порядок и снять раздражение, но сегодня шаблон не сработал. Наоборот, чем сильнее он напрягался, разрезая воду резкими размашистыми гребками, тем агрессивнее становился. Под конец тренировки, цепляясь за бортик дрожащими от напряжениями пальцами, Глеб почувствовал острое желание утопить немногочисленных пловцов, то и дело бросавших в его сторону быстрые взгляды. Он недобро усмехнулся, представив, как подплывает к любознательному толстяку в нелепой оранжевой шапочке — издалека его голова напоминала баскетбольный мяч — и надавливает на макушку, погружая его лицо под воду. Толстяк вырывается, размахивает руками и пускает пузыри. А Глеб с каменным лицом наблюдает за его судорогами и прикидывает, кто будет следующим.

Прогнав наваждение, Глеб поднялся в раздевалку, переоделся и вышел на улицу. Начинался вечер, улицы наполнялись людьми, машины беспрестанно сигналили, едва не сталкиваясь в попытке продвинуться на полметра вперед, и эта бестолковая суета и висевшее в воздухе напряжение предельно четко отражали душевное состояние Глеба.

Двое суток он почти не отходил от дома Галиных родителей, не особенно скрываясь и непонятно на что надеясь. Пару раз его замечала свекровь, тут же принимаясь звонить кому-то по мобильному. Глеб готовился к худшему и почти не сомневался, что вскоре приедет наряд полиции и заберет его в участок, но ничего подобного не происходило. Похоже, родители Гали решили игнорировать бывшего зятя, и Глеб не мог решить, что же обиднее: их воинственная агрессия или полное безразличие.

Он пребывал в беспомощном ступоре: осознавал, что поступает глупо, но не понимал, что делать. Он достиг предела своих возможностей и попросту не мог разумно мыслить. Вся энергия уходила на то, чтобы сдерживать деструктивные порывы: ввязаться в драку или что-нибудь поломать. На третьи сутки бессменного караула у подъезда Глеб не выдержал и ушел домой. Хотелось принять душ, поесть и выспаться, но едва он переступил порог квартиры, сон и голод мгновенно улетучились. Стоя под контрастным душем, он вновь и вновь прикидывал различные варианты действий, но не находил ни одного конструктивного.

Однажды он слышал про эксперимент с крысой, которую посадили в лабиринт с четырьмя тоннелями. Каждый день сыр клали в четвертый тоннель, и вскоре крыса научилась искать там лакомство. Когда же сыр положили в другой тоннель, крыса по-прежнему искала его в четвертом. Но недолго. Вскоре она стала обследовать другие тоннели, покуда не нашла сыр. Ученые наглядно доказали разницу между крысой и человеком — хомо сапиенс склонен бегать в четвертый тоннель вечно.

В последние недели Глеб чувствовал себя ущербной крысой. Осознавал, что надо искать сыр в других тоннелях, но то не мог найти эти тоннели, то не мог в них пробраться, то находил в них все что угодно, но только не сыр.

Перед ним маячил десяток вопросов — и ни одного намека на ответ. Он давно не чувствовал себя таким злым и беспомощным. Даже когда умер брат, Глеб понимал, что ничего не в силах изменить и только время облегчит скорбь. Сейчас же ситуация хоть и выглядела тупиковой, но выход тем не менее имела. Просто у неудачника, попавшего в лабиринт, явно не хватало мозгов. До недавнего времени Глеб не страдал от недостатка уверенности в себе. Теперь же его самооценка стремительно падала, портя и без того плохое настроение.

С усилием затолкав в себя пару бутербродов с

чаем, Глеб спустился вниз. Купил в ларьке сигареты, закурил и побрел по улице, погруженный в невеселые мысли. Домой вернулся под утро, рухнул на кровать и сразу же отрубился. Проспал до обеда. Покидал в спортивную сумку полотенце, плавки и сменное белье и поехал в бассейн избавляться от негативной энергии.

Тренировка не помогла. Тело вибрировало от усталости, но ярость, раздиравшая его изнутри, не утихла. Он с отвращением посмотрел в сторону метро и поплелся по улице, намереваясь дойти до дома пешком. Шел медленно, какой-то прохожий, обгоняя его, случайно задел плечом.

— Смотри, куда прешь, — вспыхнул Глеб, сжав кулаки.

— Простите, — буркнул парень и ускорил шаг.

Глеб подумал, как здорово было ничего не помнить. Единственное, с чем приходилось иметь дело, — это собственное настоящее. Когда отсутствует боль прошлого, будущее перестает тревожить. Ты живешь здесь и сейчас, в легкости и пустоте, не привязанный к опыту, свободный от сожалений. Каждая секунда твоего существования — белый лист, на котором ты рисуешь свою судьбу. А попробуй что-то нарисуй, когда в твоем альбоме ни единой чистой страницы!

Глеб сплюнул, достал из пачки последнюю сигарету и свернул в маленький сквер между четырех высоток. За последние шесть лет искусственные зеленые зоны появились во многих спальных районах города. Из их с Галей квартиры открывался вид на небольшой парк, и они часто мечтали, как будут гулять там с детьми. А теперь с его родным ребенком гуляет какой-то чужой ублюдок! Оставалась вероятность, что тесть солгал на этот счет и Галя не нашла замену бывшему мужу столь неестественно быстро. Однако, вспоминая равнодушные глаза любимой женщины, Глеб допускал любую возможность. Тем скорее нужно отыскать своего ребенка, покуда тот не начал называть папой неизвестно кого.

На лавочке напротив устроилась компания трех парней быдловатого вида. Они громко разговаривали, отхлебывая пиво из бутылок, и посматривали в сторону незнакомца. Глеб снял с плеча спортивную сумку на случай, если придется драться.

И ведь некого попросить о помощи. Лиза хоть и сука, но в хитрости ей не откажешь. Она наверняка придумала бы, как выяснить местонахождение Гали. Только вот местонахождение самой Лизы сейчас большая загадка. Неужели ее исчезновение действительно дело рук Велецкого? При таком раскладе симпатий к нему сильно поубавится. Что ни говори, а муж Ольги казался Глебу человеком адекватным. Он действовал жестко, но не зарывался, палку не перегибал. И даже допрос в подвале его дома был хоть и циничной, но необходимой мерой. Тогда охранники Велецкого едва не вытрясли из пленника всю душу. Но, в конце концов, как еще вытащить из человека нужную информацию при дефиците времени? Поступки Сергея Велецкого Глеб не одобрял, но понять их мог.

«К черту мстительных мужей, — одернул он себя. — В первую очередь нужно думать о том, как найти Галю».

ЧЕЛОВЕК БЕЗ СЕРДЦА

Был бы Джек здоров и вменяем, можно было бы обратиться к нему за советом. Оставался еще Макс, но отношения у них натянулись до предела. Гладко пребывал в отчаянном положении и искренне надеялся на содействие Глеба в поисках Лизы. Раньше Глеб постарался бы объяснить приятелю, что собственный ребенок гораздо важнее пропавшей подружки, ибо против зова крови бессильна любая дружба. Макс вряд ли понял бы, но по крайней мере перестал бы его осуждать и предложил посильную помощь. Сейчас у Глеба не имелось ни малейшего желания откровенничать с товарищем. Они отдалились. И с каждым днем пропасть, разделявшая их, становилась все шире. Любая дружба рано или поздно кончается. Особенно если злоупотребляешь ею — долго и изобретательно.

Компания напротив громко заржала. Глеб метнул в их сторону злой взгляд и затушил сигарету о край урны. Один из парней шепнул что-то своим товарищам, косясь на одинокого мужчину, и все трое снова взорвались смехом.

Глеб откинулся на спинку скамейки, положив лодыжку одной ноги на колено другой, и принялся пристально следить за ними. Голова гудела от мыслей, хотелось взорвать ее ко всем чертям, лишь бы ощутить блаженную пустоту. Несколько минут эти трое делали вид, что не замечают его враждебного внимания, но вскоре один из них не выдержал:

— Эй, у тебя все в порядке?

Его голос звучал неагрессивно, но Глебу не понравился сам факт того, что к нему обратились. Хотелось вскочить и проорать, что никто не смеет задавать ему вопросов, но он заставил себя промолчать, продолжая смотреть на весельчаков. Они переглянулись и продолжили беседу, словно позабыв о бессловесном наблюдателе.

Глеб представил, как Галя идет рядом с другим мужчиной и счастливо улыбается, и скрипнул зубами. Он изувечит этого урода. Просто изувечит.

— Да что с тобой такое, приятель? — Низкорослый широкоплечий парень поставил бутылку пива на землю и поднялся на ноги. — Чего ты пялишься-то?

Глеб заиграл желваками.

— Тебе-то какое дело, что со мной? Сядь и веселись дальше.

— Чего такой дерзкий? Я с тобой по-хорошему...

— Лучше будет, если ты заткнешься.

Двое парней встали со скамейки рядом с своим другом. Улыбка исчезла с их лиц.

Глеб прикинул, в какой последовательности будет бить. Сначала выведет из строя крайнего справа — он самый высокий и мощный. Затем...

— Ты не зарывайся, э!

Глеб рванул вперед, вкладывая в кулак все накопившееся раздражение. Из-за чрезмерного напряжения удар получился не слишком сильным. Высокий пошатнулся и отпрянул, но не упал. Глеб выкинул вперед сперва правую, а затем левую руку, произведя двойку в подбородок. Противник рухнул на землю. В эту секунду его друзья, вышедшие из ступора, накинулись на агрессора. Глеб ударил второму в пах, но сам получил ощутимый удар под колено от третьего нападавшего, набросившегося на него сзади. Глеб прикрылся, защищаясь от сыпавшихся на него ударов, улучил момент, схватил третьего за ногу, повалил и начал молотить по лицу.

Первый очухался и ринулся на выручку другу.

— Ты что творишь, сука? — Он пнул Глеба по ребрам и принялся оттаскивать прочь. Судя по всему, он еще не совсем пришел в себя, поэтому вывести его из строя было несложно.

Второй навалился на Глеба, но тут же получил лбом в переносицу, а затем добавку локтем. С таким остервенением Глеб дрался в далекой юности, когда доказывать собственную крутость было физической потребностью организма. Махал кулаками до тех пор, пока не осознал, что все трое уже давно не оказывают сопротивления и он попросту избивает безвольные тела.

— Вот ...! — выругался он, вынуждая себя остановиться. — Просил же, заткнитесь. Просил же!

Оглядел валявшихся на земле парней — они пострадали, но серьезных повреждений не получили. Ссадины да разбитые носы. Переломы — вряд ли. Глеб хотел вызвать «Скорую», но заметил приближавшихся людей, привлеченных шумом драки. Наскоро отряхнулся, схватил сумку и поспешно покинул сквер.

Пока добрался до дома, снова чуть не ввязался в драку: почему-то встречавшиеся на пути прохожие взирали на него с пренебрежением и опаской. Позже, стоя перед зеркалом в ванной, он понял почему: под глазом расползался синяк, на скуле и под носом запеклась кровь. Видок красноречивый, ничего не скажешь.

Глеб умылся, потрогал пальцами боевые шрамы: странно, но боли не ощущалось. Этот факт почему-то расстроил. Физическое страдание могло бы ненадолго отвлечь от душевных мук. Глеб сжал кулак и с силой надавил на ранку на щеке. Потекла кровь, но боль все равно была слишком слабой. В припадке раздражения он отвел руку назад и впечатал кулак в кафельную стену. Вот теперь стало действительно больно.

Несколько секунд восстанавливал дыхание, накрыв разбитые костяшки ладонью. Затем снова умылся, обмотал руку кухонным полотенцем и лег в постель. Полночи лежал, бессмысленно пялясь в темный потолок, покуда не забылся тревожным сном.

Следующим утром предпринял очередную попытку достучаться до совести Галиных родителей. Тестя и тещи не оказалось дома, поэтому он решил подождать у подъезда. Стоять было скучно, Глеб достал мобильный и изучил телефонную книгу. Даже позвонить некому. Юркиной жене? И что он ей скажет: Даша, мне плохо, поговори со мной? Исключено. Была одна девушка, Рита, «улыбчивая официантка», оказавшаяся не официанткой, а владелицей кафе. С ней диалог бы получился. Последний раз, когда Глеб видел Риту, она находилась в компании молодого человека и выглядела радостной. Похоже, она нашла свое личное счастье, незачем вторгаться на чужую территорию. Недавняя попытка закрутить роман с чужой женой едва не стоила жизни незадачливому любовнику.

Глеб набрал номер Макса и нажал на «вызов». Трубку никто не взял. Глеб повторил набор. Безрезультатно. То ли товарищ занят, то ли обиделся и не хочет разговаривать.

ЧЕЛОВЕК БЕЗ СЕРДЦА

Господи, как все достало! Почему даже ничтожный успех достигается путем нечеловеческих усилий? Почему хорошее требует жертв и борьбы, а плохое происходит с легкостью само по себе? Какой смысл в этой долбаной жизни, если ты не можешь получить удовлетворения? Как только приближаешься к цели, внезапно случается непредвиденное и отодвигает цель дальше, чем она была изначально. И ты бежишь за мечтой день за днем, год за годом, покуда однажды не исчерпаешь весь запас сил и надежды.

Глаза предательски увлажнились; Глеб сжал пальцами переносицу, пытаясь унять злые слезы. От осознания того, что он, здоровый взрослый мужик, готов разрыдаться подобно сопливому пацану, хотелось немедленно умереть. Если бы он верил в бога, уже давно бы молился.

— Глебчик, ты, что ли? — Женщина лет пятидесяти с приятным лицом и любознательными глазами остановилась напротив. — Не узнаешь, что ли? Мария Семеновна, соседка твоих тестя и тещи.

Глеб тряхнул головой, борясь с нахлынувшим отчаянием.

— Простите, Мария Семеновна, и правда не узнал.

— Ну ничего, бывает, — махнула рукой та. — Сто лет вас с Галюнькой не видела. Куда вы пропали? Совсем погрязли в своей Авдеевке?

— В Авдеевке? — нахмурился Глеб, не понимая, о чем речь.

— Елена говорила, вы в деревню перебрались после рождения сыночка. Хоть бы приехали, похвастались. Мне ж тоже интересно на ляльку вашу взглянуть.

Глеб почувствовал, как подгибаются ноги, и чтобы не упасть, поспешно привалился к стене.

— Ты не болен часом? — разволновалась соседка, заглядывая в его побледневшее лицо. — И глаз вон подбитый.

— Это я с мотоцикла упал, не переживайте, — натужно улыбнулся Глеб, ощутив в груди внезапную боль — сердце колотилось как бешеное.

— То-то я смотрю, осунувшийся ты какой-то. Голова кружится? С этими мотоциклами запросто сотрясение заработаешь. Аккуратнее надо быть, ты же теперь отец.

— Да, Мария Семеновна, вы правы. Поеду я, пожалуй, домой.

— Торопишься, что ли? — расстроилась женщина. — А то я бы поболтала. Елена с Гришей такие неразговорчивые стали, новостей из них не вытянешь. Ладно-ладно. Не буду задерживать. Галюньке привет передавай.

— Спасибо, — выдавил Глеб, отстраняясь от стены. — Обязательно передам.

Он шел по тротуару, еле переставляя ноги. Едва обогнул угол здания, рухнул на первую же лавку. Он чувствовал себя как нищий, выигравший миллион в лотерею. Смотрел на счастливый билет, проверял цифры и боялся радоваться раньше времени. А что, если это иллюзия? Или розыгрыш? Жизнь — паршивая штука. Не бывает, чтоб удача свалилась с неба. Никто и никогда не получает необходимого в нужный момент.

Нет, Глеб не поверит в выигрыш, покуда не пощупает его своими руками. Где, черт побери, находится эта деревня?

Он достал мобильный и вышел в Интернет. Спустя пять минут уже ловил такси.

Авдеевка оказалась небольшим поселком в семидесяти километрах от города. Глеб расплатился с таксистом и остановился у начала центральной улицы. По обе стороны дороги тянулись одноэтажные дома, среди них высилось двухэтажное административное здание, за ним еще одно. И что дальше?

Даже если допустить, что Галя действительно обитает в этом поселке, как отыскать ее? Стучать в каждый дом? На это может уйти уйма времени.

«Разве ты куда-то спешишь? — одернул себя Глеб. — Если понадобится, будешь ночевать тут, на остановке, но за два-три дня обойдешь всю долбаную деревню!»

Он прошел немного вперед, остановился у первой калитки и постучал.

К вечеру он обошел около сотни домов, и результаты его не обрадовали. В большинстве случаев ему попросту не открывали. Те же хозяева, с кем удалось поговорить, не сообщили ничего полезного. Процесс поиска обещал затянуться. За несколько часов на ногах Глеб успел притомиться. Тем более с утра у него не было ни крошки во рту. Он сел на остановке и огляделся.

Возможно, его сын спит сейчас в какой-нибудь сотне метров в уютной детской кроватке. А Галя хлопочет на кухне, пользуясь короткой передышкой. Она всегда вкусно готовила. Когда Глеб приходил с работы, обычно на столе его ждала тарелка ароматного супа, а на плите подогревалось второе. Глебу нравилось пюре и куриное мясо с густой чесночно-сметанной подливкой — Галино коронное блюдо. Как там оно называлось? Гедлибже вроде. Традиционное блюдо кабардинской кухни.

Да, он сильно проголодался. Спросить у кого-нибудь, где ближайший магазин? Хотя бы булку купить. Как назло, в поле зрения не было ни одного прохожего. Глеб поднялся и пошел по улице.

Неужели Галя сейчас действительно готовит ужин для другого мужчины? Накрывает на стол, садится напротив и умиленно наблюдает, как ее новый избранник поглощает пищу? Женщины! Смотрят с любовью и преданностью, клянутся, что готовы пройти с тобой все круги ада, но стоит тебе оступиться — с легкостью отказываются от своих клятв и мгновенно находят замену. И уже на другого глядят с любовью и преданностью и клянутся, что готовы пройти все круги ада...

На перекрестке появилась молодая женщина с девочкой лет пяти. Девочка несла игрушечное ведерко и лопатку. Глеб догнал их:

— Простите!

Женщина остановилась:

— Да?

— Я хотел спросить. — Глеб осекся, уловив промелькнувшую в голове мысль. А что, если... Как же он раньше не сообразил...

— Да? Я вас слушаю.

— Я хотел спросить, у вас в поселке есть какой-нибудь парк или детская площадка?

— Да. Пройдете два квартала, — женщина указала направление, — и повернете направо. Там и будет сквер.

— Спасибо. Вы меня очень выручили. Красивая у вас дочка. — Глеб улыбнулся и бодрым шагом двинулся в сторону сквера.

Было около восьми вечера. Имелась слабая надежда, что Галя решит подышать воздухом именно сейчас, хотя поздновато для прогулки с младенцем. Так или иначе, проверить стоило.

Глеб завернул за угол и уткнулся в огромный зеленый пустырь. Несколько старых деревьев росли на почтительном расстоянии друг от друга, совершенно не затеняя открытое пространство. Асфальтированные дорожки, несколько лавочек, песочница и жалкое подобие детской площадки указывали на то, что это и есть тот самый сквер. Отдыхающих не наблюдалось. Только по дальней дорожке, огибающей кустарник, шла пара. Стройная девушка в светлом платье катила детскую коляску, то и дело нагибаясь к ребенку и что-то ему шепча. Шедший рядом мужчина о чем-то рассказывал, девушку явно забавляла его история — она улыбалась и даже посмеивалась.

Это была Галя.

Глава 22
∎

Удушливый вечер расползся по больничной палате. В помещении стало неуютно. Пациент вышел в коридор и направился к центральным дверям.

На улице было куда приятней, чем в четырех стенах: прохладный ветерок рассеивал зной, дышалось легко и свободно. Джек обогнул здание клиники и медленно двинулся к заднему дворику. Пользоваться тростью он так и не начал, поэтому путь, хоть и был привычен, требовал концентрации. Выйдя на знакомую гравийную дорожку, Джек расслабился и зашагал уверенней.

Последние дни он беспрестанно прокручивал в памяти телефонный разговор с Максимом и пытался разобраться в собственных чувствах. Никогда прежде рефлексия не доставляла ему столько мучений.

Джек не идеализировал себя, понимая, что плохое в нем присутствует наряду с хорошим. Он не всегда поступал благородно, но верил, что иначе было бы неразумно. Он гордился тем, что неукоснительно следует голосу рассудка, и жил в согласии с самим собой. С юных лет Иван Кравцов скрупулезно создавал того человека, коим в конечном итоге стал. Отсекал все лишнее, чтобы однажды превратиться в произведение искусства. Результат удовлетворял его. Он разглядывал свое отражение и улыбался безупречному образу. Тем страшнее сейчас было осознавать, что все эти годы он смотрелся в кривое зеркало.

Джек воскрешал в памяти отдельные моменты прошлого, придирчиво анализируя свои поступки, и все больше убеждался в их аномальной циничности. Психотерапевт Кравцов умело прикрывался здравомыслием, тогда как в основе многих его действий лежало обыкновенное равнодушие. Собственная выгода всегда стояла на первом месте.

Джек вспомнил, как однажды сбил пешехода, управляя машиной в нетрезвом виде. Тогда они с товарищами удачно разрулили ситуацию, свалив всю вину на несчастного прохожего, якобы целенаправленно кинувшегося под колеса. Инцидент доставил Джеку массу хлопот и неприятных эмоций, после суда он стер аварию из своей памяти.

Парень переходил дорогу там, где отродясь не появлялись пешеходы. Джек тысячу раз проезжал в том месте, и всегда благополучно. Парню стоило проявить больше осторожности, переходя пустынную трассу в ночное время. Каждый сам ответственен за собственную безопасность. Кажется, на судебном разбирательстве упоминалось, что пострадавший останется инвалидом. «А теперь ты и сам инвалид, — усмехнулся Джек. — Кто-то не верил в высшую справедливость? Получите и распишитесь».

Как бы то ни было, безразличие к чужому человеку можно понять. Да, Иванушка получался не самым добрым героем сказки, но ведь он не обязан испытывать теплые чувства ко всему человечеству. Дело усложнялось тем, что и по отношению к близким друзьям Иванушка тоже был подлецом. Вот это действительно принять нелегко.

Джек дошел до ограждения на другом конце больничного двора и повернул обратно. Теперь ветерок дул в спину, слабо поглаживая его между лопаток.

Может быть, все не так, как рисовало воспаленное воображение? Физические болезни усугубляют душевные метания. Вероятно, он сильно преувеличивает размеры собственной подлости. Несмотря на свою расчетливость, он не чурался искренних чувств. Любил родителей и испытывал к друзьям теплую привязанность. Ему нравилась игра и эмоции, возникавшие в процессе. Легкий зуд аморальности компенсировался убежденностью в том, что он не просто развлекается, но прежде всего помогает другу. Когда Глеб попросил пройти тесты на выявление возможного донора почки для родного брата, разве Джек не согласился без колебаний? А когда Макс запаниковал из-за незапланированного отцовства, разве не он, Джек, вызвался спровоцировать выкидыш, столкнув его любовницу с лестницы?

«Погоди, — сам к себе обратился Иван. — Я тебя правильно понял? Ты приписываешь себе в плюс тот факт, что намеревался покалечить беременную девушку? Где твои усы и косая челка, Адольф?»

Первое потрясение схлынуло, оставив после себя горечь и сожаление. Они парили в пустоте, зиявшей в сердце, подчеркивая ее вселенский размах. Джек понимал, что никогда не станет прежним. Если зрение восстановится, тревожные мысли о собственном несовершенстве на время отступят. Но когда ликование пройдет, снова вернутся. Нужно будет учиться жить, принимая новую личность.

Существовал шанс, что после полного выздоровления нынешняя рефлексия покажется ему глупым ребячеством. Но почему-то в этот шанс верится слабо. Джек долго блуждал в поисках спасительного пути, но привел себя в гиблое место. Чтобы попасть в ад, не обязательно иметь благие намерения. Достаточно быть самим собой.

Что-то несильно кольнуло шею. Джек остановился и провел рукой по колючей ветке, оторвал одну иголочку и растер между пальцев. Хвойный запах с цитрусовой ноткой приятно ударил в нос. Раньше Джек не придавал ароматам чрезмерного значения. Теперь же обоняние стало одним из основных способов взаимодействия с миром.

Словно сбегая от тягостных раздумий, он сошел с гравийной дорожки, углубляясь в заросли кустарника. Несколько раз натыкался на препятствия, но бойко обходил их и вскоре уперся в забор, ограждавший территорию клиники. Забор был прохладным на ощупь. Джек скользнул ладонью по металлическим брусьям — они заканчивались чуть выше его макушки. Ухватился двумя руками за верхний край, подтянулся, перекинул ноги и приземлился на другой стороне. Оставалось надеяться, что доктор Вангенхайм не узнает о безответственном поведении пациента. Джек планировал вернуться в палату раньше, чем его отсутствие заметят.

За несколько недель в клинике один и тот же режим дня и одни и те же декорации успели ему осточертеть. Удивительно, как Джеку до сих пор не приходило в голову перелезть через забор и прогуляться по окрестностям. Есть, конечно, опасность заблудиться, но в этом случае путь к клинике можно спросить у любого прохожего. Он нащупал ногой небольшой камень и подкатил его к кромке тротуара, чтобы впоследствии не пропустить нужное место.

Было около семи часов вечера, солнце уже не припекало, но жара еще держалась. Ветер то усиливался, то затихал, заставляя одинокого путника мечтать о дожде. Попасть под ливень в центре незнакомого города — а в кромешной мгле любой город кажется незнакомым — удовольствие небольшое. Джек представил, как хлестко бьют о горячий асфальт прохладные дождевые струи, и едва не упал, споткнувшись о выступавший край тротуарной плитки.

Мимо, на очень медленной скорости, прополз автомобиль. Вероятно, водитель следил за неуклюжим пешеходом, соображая, стоит ли предлагать тому свою помощь. Джек повернулся в сторону дороги, ненатурально улыбнулся и помахал рукой. Машина уехала.

Где-то в отдалении играла музыка — но так тихо, что разобрать мотив было нереально. Вероятно, кто-то смотрел телевизор у себя дома или слушал радио, и звук улетал в приоткрытое окно. Изредка мимо проезжал велосипедист, тихо поскрипывая амортизатором и шелестя упругими шинами. Джек брел наугад, отмечая про себя повороты и примерное количество шагов, чтобы сориентироваться на обратном пути. Все мысли испарились, хотелось просто идти в неизвестном направлении, не заботясь о завтрашнем дне, не оплакивая прошлое.

Джек прошел километра два, когда вдруг его привлек необычный запах. Кравцов остановился, полагая, что обоняние подводит его, однако запах не только не исчез, но усилился. Это было совершенно невозможно. Невозможно, чтобы в городе, расположенном в пятистах километрах от моря, так явственно пахло морем. А точнее, неряшливым диким берегом, на который прибой выкинул массу черных пахучих водорослей. Эффект был столь силен, что Джек даже растерялся. И в это самое мгновение в высоте раздался пронзительный крик чаек.

Иван запрокинул голову, словно мог разглядеть чарующий мираж. Он представил небо — голубовато-сиреневое, переходящее в розовое на горизонте. И узкие волнистые полосы облаков, напоминающие песчаное дно ранним утром, когда его еще не истоптали ноги многочисленных отдыхающих. И чаек. Белых лоснящихся чаек, в чьем крике слышалось что-то невыносимо жизнеутверждающее.

Разве так бывает? Чтобы в центре мегаполиса кружили чайки?

Несколько минут Джек стоял не шевелясь, затем достал мобильный и набрал отца.

— У меня вопрос.

— Да, сын.

— Ты замечал в Мюнхене чаек?

— Хм. — Сергей Иванович озадачился. — Я не придавал значения местным птицам. В предместьях Мюнхена есть три крупных озера, ты же в курсе. Логично предположить, что чайки залетают в город. В связи с чем подобный вопрос?

— Я подумал, что у меня слуховые галлюцинации. Но ты меня успокоил, — признался Джек.

— То, что чайки в принципе залетают в город, не исключает того, что у тебя действительно слуховые галлюцинации, — сквозь улыбку проговорил Кравцов-старший.

— Твоя дипломатичность выше всяких похвал.

— Ты в порядке? Я могу приехать. — Голос отца посерьезнел.

— Все хорошо, пап. Созвонимся завтра. Спокойного вечера, — ответил Джек и отключился.

По-прежнему пахло морем. Он выругался по-немецки.

— Ты чего тут торчишь? Проблемы?

— Здравствуй, милая, — улыбнулся Джек, узнав мягкий, с легкой хрипотцой голос. — Я думал, ты сегодня не работаешь.

— Я работала и как раз направлялась домой, когда увидела твой побег из клиники, — объяснила Гретхен.

— И решила за мной проследить, чтобы уберечь от неприятностей? Добрая душа.

— Не совсем. Мне просто в ту же сторону.

Джек понимающе кивнул, нисколько не поверив медсестре:

— В таком случае не смею тебя больше задерживать.

Гретхен замялась, явно о чем-то раздумывая, и Джек помог ей:

— Спрашивай уже.

Она облегченно выдохнула.

— Ты справишься с обратной дорогой?

— Да. Не беспокойся, — заверил Джек. Внезапное ощущение моря немного сбило его с толку, но примерный маршрут до клиники сидел в голове.

— До свидания, герр Иван.

— Гретхен?

— Да?

— Ты чувствуешь запах? — Джек сделал рукой неопределенный жест, указывая на окружающее пространство.

— Запах грязи и гниющих водорослей?

— Именно! — обрадовался он. — Откуда?..

— Тут неподалеку возле деревьев большая лужа подсыхает. Вода почти испарилась, отсюда и вонь.

— До свидания, Гретхен. — Джек развернулся и поплелся в клинику, довольный и прогулкой, и «морем», и встречей. Возвращался назад быстрее, благо дорога была известна. Шел по краю тротуара, чтобы не пропустить нужную отметку. Когда нога коснулась камня, означавшего конец пути, Джек остановился и резко обернулся:

— Гретхен, иди домой. Я же сказал, что найду дорогу.

Несколько долгих секунд стояла тишина, а затем послышалось тихое:

— Ладно.

Джек не сдержал улыбки. Интересно, в те редкие дни, когда Гретхен приходит в бар, чтобы пуститься во все тяжкие, она распускает волосы? Ей, наверное, идет с распущенными волосами.

Своевольного исчезновения пациента никто не заметил. Джек вернулся в палату, вымыл руки и не раздеваясь повалился на кровать. Лежал час или два, ни о чем не думая, паря в убаюкивающей невесомости. А потом внезапно почувствовал, как внутри его нарастает гул. Сперва шум был невнятным и слабым, но постепенно усиливался, пока Джек не понял его природу.

Это был крик. Надсадный крик чаек.

Он никуда не исчез. Он остался и заполнил собой все пространство — внутри его и снаружи — до самых краев.

Джек больше не ощущал пустоты.

Глава 23

■

Вениамин Волков не скучал по родителям и сестре. Еще в детстве он заметил за собой одну странность, отличавшую его от других: он не нуждался в родных и близких. Будучи несовершеннолетним, жил под одним кровом с семьей, вынужденно соблюдая традиционные устои. Но едва обрел минимальную самостоятельность, не задумываясь покинул отчий дом и ни минуты не тосковал по нему.

Вениамин не испытывал привязанности к родителям — принимал их как данность, наличие которой вносит в жизнь определенные обязательства. Он исправно отвечал на их звонки, делясь скудной информацией о своем житье-бытье. Приезжал редко, только если была крайняя необходимость. Нет, он не был циничным бездушным типом. Он относился к собственным отцу и матери ровно и, не желая их ранить, прилагал все усилия, чтобы отсутствие трепетной сыновьей любви не бросалось в глаза.

Что касается сестры, то его отношение к ней было хоть и менее безразличным, но не более эмоциональным. Вероника была слишком обычной, чтобы иметь какую-то ценность. Веню удивлял, а где-то и огорчал тот факт, как от одних и тех же производителей могли родиться столь разные отпрыски. Вениамин понимал: у них с сестрой никогда не будет той кровной близости, о которой всегда мечтала Вероника. Не потому, что он против. А потому, что это в принципе невозможно. Они обитали в разных плоскостях, не имеющих точек соприкосновения. Лишь один раз, поддавшись неуместной сентиментальности, Вениамин дал сестре шанс познакомиться с собой настоящим. Испытание Вероника не прошла — слишком тяжек оказался крест, не по силам. Она предпочла заблуждение суровой правде.

Ничто не удерживало Волкова в родном городке, а после расставания с первой возлюбленной желание уехать стало практически невыносимым. Без малейших сожалений он покинул место, где прошли его детство и юность. Разлука с невестой изменила его — это был уже не Венечка Волков, а его усовершенствованная, безупречная копия. Теперь он твердо знал, чего хочет от жизни и как этого добиться. Он был полон решимости и не сомневался в успехе. Потому и притянул нужные обстоятельства.

Вениамин не скорбел, не оплакивал друга. В ту самую секунду, когда его пальцы не нащупали пульс на холодном запястье товарища, он уже знал, что случится дальше. Сашка Тубис будет жить. В его новой ипостаси соединятся лучшие качества двух неординарных личностей. А Венечка Волков — не оправдавший надежд сын и нелюбящий брат — умрет. И все встанет на свои места.

Как просто превратиться в другого человека, имея намерение и приблизительное внешнее сходство. Правоохранительным органам не показалась странной смерть алкоголика Вениамина, временно проживавшего в квартире старинного приятеля Александра. Мало ли этих алкашей каждый день умирает. Новоявленному Тубису не пришлось даже менять фотокарточку в паспорте друга — слегка отпустил волосы, надел другие очки — и преобразился достаточно, чтобы не вызывать подозрений при проверке документов.

Однокомнатную квартиру он продал быстро через посредников, чтобы лишний раз не светиться в доме, где настоящего Сашку могли знать в лицо. Домашний скарб вывез на помойку. На память взял только старую шахматную доску, над которой мальчишками сутки напролет выясняли, кто сильнее. А сильнее оказался Венечка. Вернее, теперь уже Сашка. Александр Александрович Тубис.

Обретя новую личность, он отсек прошлое. Никому не звонил, ни с кем из прежней жизни не общался. В конце концов, какой с мертвого спрос. Разве что периодически анонимно перечислял родителям небольшие средства да раз в несколько лет посылал письма сестре. Никакая экспертиза не доказала бы, что эти письма писались рукой Вениамина Волкова. Почерк брата Вероника помнила визуально, но вещественных доказательств не имела — ни старых ученических тетрадок, ни клочков бумаги, ни кассет с надписями. Прежде чем покинуть отчий дом, юный Венечка уничтожил все следы своего пребывания. Тогда он еще не осознавал, зачем поступает таким образом. Просто доверился своему чутью. И не прогадал...

Тубис провел ладонью по прохладному металлу шведской стенки. Без Лизы подвал выглядел пустым и несовершенным. Он улыбнулся, вспомнив, как долго и любовно ремонтировал помещение, готовясь привести в дом невесту. Ездил по магазинам и строительным рынкам, выбирал отделочные материалы. Сколько сил угробил на создание достойного жилища, а вынужден держать возлюбленную в нищенской халупе.

А все потому, что малолетняя девица Олеся выбрала неверный объект обожания. В итоге и сама жизнь потеряла, и ему существование подпортила. Некритично, конечно. Рано или поздно следствие закроют, и он вернет Лизу в родные пенаты. Но кто знает, сколько до того момента пройдет времени.

Сан Саныч с нежностью посмотрел на узкий диван, на котором проводил с невестой шальные ночи. После химической обработки не осталось ни Лизиного запаха, ни волоска, ни иных свидетельств ее пребывания. Печально. Ради собственной безопасности приходится избавляться от милых сердцу мелочей.

Тубис прислонился спиной к прохладной стене. Несмотря на добротный ремонт, в подвале тянуло сыростью. Может быть, из-за этого невеста и приболела? Нужно было почаще выводить ее на свежий воздух греться на солнышке. Дом стоял на отшибе, даже если бы Лиза надумала поднять крик, никто бы не услышал. Перестраховался Сан Саныч, слишком уж боялся потерять возлюбленную. Позже он исправит эту ошибку. Когда полиция снимет с него подозрения, а Лиза поправится, он будет регулярно выводить ее во двор.

С предыдущими невестами Тубис не церемонился. Чувства держались недолго, укреплять здоровье девушек не возникало необходимости. Разве что с Тамарой отношения затянулись — но первый раз всегда особенный. Тогда он был незрел и неопытен и лишь по великой удаче не допустил серьезных ошибок. С тех пор у него и ума прибавилось, и лучшего понимания собственной природы.

Так или иначе, случай с Лизой был исключительным. Тубис отдавал себе отчет, что с каждым днем все сильнее увлекается невестой. Чувства к ней не укладывались в известные рамки, не походили на пережитые ранее. Лиза вызывала одновременно много разных эмоций, они смешивались в ядреный коктейль, который хотелось пить снова и снова, пока не опьянеешь до одури.

Удивительное дело. Когда Сан Саныч думал о невесте, все остальные мысли улетучивались. Неприятный осадок от убийства Олеси растворялся бесследно, шахматы переставали казаться увлекательнейшей игрой на свете, даже воспоминания о единственном друге меркли. Подумать только, Тубис даже пропустил собственный день рождения. А ведь эта дата кое-что да значила. Хотя Сан Саныч родился в январе, последние годы день рождения отмечал в конце мая — как было записано в паспорте. Он не приглашал друзей (их не имелось), не звонил родственникам (мертвые не звонят), не ходил в ресторан (гурманом не являлся). Он просто наливал два стакана водки, один накрывал ломтиком хлеба, другой выпивал. Не праздник это был, скорее поминки.

По традиции Тубис обязательно доставал старую шахматную доску, расставлял фигуры и воспроизводил одну из партий, сыгранных с покойным товарищем. Память хранила сотни захватывающих комбинаций, Сан Саныч выбирал первую, пришедшую на ум. Он передвигал фигуры, уносясь в далекое прошлое, воображая, что друг действительно сидит напротив и ехидно посмеивается, замышляя хитрый маневр.

Странно, но, несмотря на духовную близость с приятелем, он не рассказал ему про историю с Тамарой. Возможно, случись она раньше, когда друг еще не злоупотреблял алкоголем, искушение признаться взяло бы верх. Но к тому моменту Вениамин даже не колебался, точно зная, что товарищ хоть и не осудит, но и не разделит его радости. А ведь именно понимания он желал. Понимания и разделенного праздника. Он не страдал от одиночества, но иногда мечтал о единомышленнике. Что ж, если отсутствие родственной души — цена за возможность жить без правил, он без вопросов ее заплатит.

Тубис достал из кармана носовой платок, снял очки и протер чистые линзы. Он уже давно сделал новый паспорт со своей фотографией и мог запросто надеть очки в модной тонкой оправе. Но почему-то не хотел. Так и продолжал носить те, что снял с мертвого друга. Только линзы два раза менял. Он напоследок окинул взглядом подвал и поднялся наверх.

Стояла теплая летняя ночь, воздух был неподвижный и пряный, небо — звездное и высокое. Раньше Сан Саныч проводил выходные с невестой, изредка отвлекаясь на одну-две короткие шахматные партии с виртуальным противником. Признаться, он уже отвык от одиноких ночей, поэтому ощущал легкую неудовлетворенность. Даже Аньки нет поблизости, чтобы перекинуться парой фраз. Она ничего не понимает, но прилежно изображает внимание. Сан Саныч хлопнул калиткой и побрел вдоль улицы.

Вспомнился дождливый апрельский вечер, когда он, следовавший за жертвой по пятам, наконец дождался удобного момента. Улочка была пустынна и темна, а жертва неосторожно пьяна. Когда Тубис увидел ее — тоненькую, поразительно несчастную, плачущую под дождем в своем дорогом, промокшем насквозь пальто, — мгновенно собрался, отключившись от всех эмоций. Когда приблизился к жертве, не испытывал ни волнения, ни возбуждения. Невидимые крылья мелко подрагивали, умножая его решительность. Ничто не могло помешать ему.

— Мне кажется, вам нужна помощь, — произнес Тубис лишенным интонации голосом.

Лиза подняла на него нетрезвые глаза и послала к черту.

— Я отвезу вас домой, — повторил Сан Саныч, старательно запоминая каждую секунду происходящего. Потом, когда все закончится, он будет извлекать из памяти бережно сохраненные фрагменты, чтобы вволю посмаковать их удивительный терпкий вкус.

— Вы не расслышали меня? Идите к черту! — прошипела Лиза, из-под капюшона сверкнули полные злости глаза.

Она была прекрасна, как дикая кошка. Тубис зажал ей рот ладонью. Он надеялся, что ему достался восхитительно редкий подарок. Позже он в этом убедился.

Сан Саныч остановился у одного из поселковых домов. Дом был самым обычным, а вот забор — настоящее заглядение. Он состоял из тонких прутьев, фигурные верхушки которых напоминали черные пешки. Тубис часто проходил мимо этого особняка, чтобы полюбоваться забором.

Пожалуй, стоило вернуться домой и поразмять мозги. Тем более что постоянный противник, шахматист из Англии, сейчас в сети.

Игра пошла с первой же минуты. Тубис одержал победу три раза подряд, практически не напрягаясь. Англичанин посылал удивленно-восхищенные смайлики и просил о реванше. На четвертой партии Сан Саныч внезапно сник, словно в голове что-то отключилось. Он перестал замечать очевидные вещи, упуская шанс за шансом переломить ход игры, и вскоре оказался в безнадежном положении. Англичанин ликовал, не смущаясь столь резкой перемены. Тубис неотрывно смотрел на экран компьютера, не понимая, что происходит. На виртуальной доске красовалось яркое доказательство его полнейшей профнепригодности. Ничего подобного прежде не случалось. Он никогда не проигрывал столь бездарно.

Он отключил компьютер и встал из-за стола. Кончики пальцев неприятно покалывало. Внутри шевелилось тревожное чувство. Тубис вышел на улицу, сел на крыльцо и принялся ждать, когда изменится состояние или появится ему объяснение.

Прошло полчаса, но волнение не утихло. За забором кто-то жалобно заскулил. Тубис рванул с места, дернул калитку и впустил во двор Аньку. Собака сильно хромала, поджав переднюю ногу. Левый бок был в крови. Овчарка снова заскулила, ткнулась мордой в ладонь хозяина и повалилась на землю, тяжело дыша.

Тубис осторожно поднял ее на руки, стараясь причинять меньше боли, и положил на заднее сиденье автомобиля. Сел за руль, завел двигатель и плавно тронулся с места.

Глава 24

Нет. Он не испытывал счастья, не надеялся на сказочную удачу, не наслаждался тем, что имел. Но и пустоты — изматывающей, уничтожающей пустоты — больше не ощущал. Он словно долго вдыхал — втягивая воздух рваными глотками, заполняя легкие до предела, до распирающей боли, — а затем вдруг внезапно выдохнул, отпуская мучительное напряжение. Джек чувствовал, что наконец-то расслабился. С самого первого дня слепоты он внушал себе правильные установки, пытаясь успокоиться, но только сейчас в этой тихой клинике на северо-востоке Мюнхена обрел настоящий покой.

Это было необычное, но очень приятное состояние. Джек понимал, что объективная ситуация не изменилась, шансы на полное восстановление зрения по-прежнему невелики, а прошлое так же сомнительно. Однако он осознавал, что будет бороться до последнего. Даже если придется посвятить этой борьбе всю жизнь. Он больше не допустит позорного отчаяния, не позволит себе мысли о капитуляции. Пусть сдаются другие. А он будет идти вперед, чего бы это ни стоило. Однажды, черт побери, однажды он снова увидит. И тогда окончательно разберется с кающимся грешником, отчаянно рвущимся наружу.

ЧЕЛОВЕК БЕЗ СЕРДЦА

Ночь выдалась прохладной. Свежий ветер беспрепятственно проникал в палату через открытое настежь окно. Джек дотянулся до стула, снял со спинки пиджак и надел его. Машинально сунул руку в карман и нащупал острый камешек. Тот самый, который подобрал на злополучном поле неподалеку от Москвы. Джека неудержимо тянуло в то странное место, он поддался иррациональному желанию и в итоге испытал унизительное мгновение беспомощности: упал, распорол ладонь и потерял ориентиры. Он осторожно погладил камень. Когда-нибудь он рассмотрит свой трофей и улыбнется тому, что некогда считал маленький неодушевленный предмет едва ли не заклятым врагом.

Время усмиряет страхи и уменьшает муку. Не так давно пораненная рука сильно болела, и казалось, никогда не заживет. А теперь о прошлом страдании напоминал лишь еле ощутимый шрам на тыльной стороне ладони.

И темнота тоже когда-нибудь кончится.

Джек вспомнил случай из детства, когда ему было лет шесть-семь. Они только-только приехали в Австрию, и мальчику все казалось интересным: непривычная архитектура, широкие магистрали, чужие, не похожие на русские, лица... Стоял солнечный день, отец вел машину, мать сидела на переднем пассажирском кресле, а Ванюша прильнул к окну на заднем сиденье. Погожий летний день переливался разноцветными красками, сдержанная зелень деревьев перемежалась с изумрудной зеленью газонов, в зеркальных окнах домов отражалось нестерпимо-голубое небо, и даже будничная серость асфальта казалась по-праздничному яркой. Там и сям вдоль тротуаров пестрели клумбы с красными, желтыми, синими цветами.

— А теперь, Иван, приготовься, мы въезжаем в самый длинный тоннель города, — сообщил отец, улыбнувшись сыну в зеркало заднего вида.

Тоннель был и правда длинный. Сначала Ванечка с любопытством отсчитывал секунды, глядя на мелькающие за окном фонари, но вскоре насторожился. Прошло уже не меньше трех минут, а тоннель и не думал заканчиваться, уходя все глубже и глубже под землю. Можно было спросить у отца, но он не хотел демонстрировать беспокойство. Родители вели себя обычно, значит, ничего странного не происходит. Однако с каждой секундой Ваня волновался все сильнее: эта унылая, скудно освещенная дорога, зажатая меж бетонных стен, совсем ему не нравилась.

Нет, он не боялся фантастических монстров, якобы живущих под толщей земли; он уже научился отличать вымышленный мир от реального. Но сейчас не мог избавиться от растущего дискомфорта, вызванного нехорошим предположением: а что, если этот тоннель никогда не закончится? Конечно, такого не бывает. Кроме того, отец слишком умен, чтобы добровольно ринуться в тупик. И все-таки сомнение не покидало Ванюшу. И чем дольше тянулся тоннель, тем крепче оно становилось. В какой-то момент ребенок почти уверился в том, что родители просчитались и теперь им предстоит вечно мчаться вперед в тщетных поисках выхода. Наверное, они больше никогда не увидят свет, что было крайне обидно.

ЧЕЛОВЕК БЕЗ СЕРДЦА

Мальчик уже стал привыкать к этой неприятной мысли, когда электрические сумерки стремительно утратили ядовитую насыщенность. Тоннель расширился от хлынувшего в него светлого воздуха, и даже (иллюзия, разумеется) дышать стало легче. Когда автомобиль вынырнул на открытую дорогу, Ваня на мгновение ослеп: так болезненно ярок был вернувшийся день...

Джек плотнее запахнул пиджак и улыбнулся, невидяще глядя в окно. Сейчас он уже не маленький мальчик, и чернота, окутавшая его, страшнее черноты автомобильного тоннеля. Но и она однажды рассеется. Иначе и быть не может.

Джек заснул под утро и проспал почти до самого обеда — ни доктор Вангенхайм, ни медсестры, обычно наведывавшиеся спозаранку, сегодня пациента не тревожили. Разбудил его отец.

— Стесняюсь предположить, чем ты занимался ночью, что так вымотался, — весело сказал Сергей Иванович, усаживаясь на стул у стены. Настроение у него было прекрасное. В последние дни сын выглядел довольным и, похоже, не притворялся.

— Рефлексировал, — ответил Джек, садясь на кровати и протирая глаза.

— Надо полагать, успешно? — В голосе Кравцова-старшего звучала улыбка.

— А сколько времени?

Отец посмотрел на дорогие наручные часы — единственный атрибут роскоши, к которому питал слабость:

— Без четверти час.

— Ого. — Джек зевнул и потянулся. — Даже осмотра сегодня не было. Не день, а сказка.

— Доктор Вангенхайм сказал, последний осмотр будет сегодня вечером.

— Последний? — насторожился Иван.

— Последний перед операцией, — уже не пряча радостного возбуждения, сообщил отец.

— Когда операция?

— Завтра.

Несколько минут Джек молчал, переваривая не столько новость, сколько собственную реакцию на нее. Казалось бы, известие должно было осчастливить его, а он...

Огорчился?

Как это?

Долго искать ответ не пришлось. Операция предполагала два результата. При положительном все было понятно и однозначно. При отрицательном едва установившееся душевное равновесие будет сметено на корню. Это и беспокоило Ивана Кравцова. Заново переживать изнуряющую апатию ой как не хотелось. Следовательно, сегодняшний день стоит посвятить аутотренингу и самовнушению. Убедить себя не слишком надеяться. Не делать высокие ставки. Не ждать спасения. Воспринимать операцию как маленький шажок к успеху, а не как прыжок через голову.

Кравцов-старший внимательно смотрел на сына, стараясь угадать, что творится у того в голове. Иван о чем-то напряженно думал, и отец с облегчением узнал сосредоточенное, строгое и несколько отсутствующее выражение лица, знакомое с детства. Судя по всему, к сыну вернулся здоровый прагматизм, которого так не хватало ему в последнее время. Наконец-то он видел прежнего Ивана: хладнокровного, разумного, управляющего своими эмоциями.

Кравцов-старший неожиданно понял — именно понял, а не почувствовал, — что черная полоса подошла к логическому завершению. И пусть врачи не давали гарантий, главная гарантия сидела сейчас перед ним. Иван излучал спокойствие и уверенность, и Сергей Иванович впервые за последний месяц не опасался за судьбу сына.

— Ну что ж, завтра — значит завтра, — заключил Джек, подводя итог внутреннему диалогу. — Будем надеяться, но не переоценивать шансы.

— Мысль здравая. Поддерживаю. — Кравцов-старший взял с тумбочки сложенные брюки и рубашку и кинул сыну: — Одевайся, умывайся, выйдем на воздух. Нагуляешь аппетит перед обедом.

— Есть! — по-военному отрапортовал Джек, приложив правую руку к виску, и стал поспешно натягивать джинсы.

Они гуляли по больничному дворику, каждый сантиметр которого Джек успел изучить. Он отчетливо представлял себе окружающую картину и не сомневался в ее достоверности. Если... Вернее, *когда* зрение вернется, он сравнит воображаемый двор с реальным и убедится в их идентичности.

Гулялось по гравийной дорожке некомфортно — солнце палило нещадно. Мужчины укрылись под раскидистыми кронами деревьев и неспешно шагали по упругой травянистой почве. Иногда под ногами шуршала прошлогодняя хвоя, Джек то и дело наступал на шишки, давя их с характерным хрустом. Кто бы мог подумать, что психотерапевт Кравцов однажды будет с любопытством прислушиваться к звукам из-под ботинок.

А звуки, между прочим, ему нравились. Судя по всему, шишки были двух типов. Первые — вытянутые, маленькие и сухие. Под подошвой они рассыпались с треском, как яичная скорлупа. Вторые — более круглые, крупные и упругие. Такие разваливались не сразу — приходилось приложить усилие, чтобы раздавить их полностью. И хруст у них был довольно сдержанный, сырой. Не самый вкусный хруст.

Кравцов-старший пребывал в необычно разговорчивом настроении, рассказывал о работе, вспоминал прошлое, задавал вопросы, вдохновленный переменами в душевном состоянии сына. Джек охотно поддерживал беседу, сознательно уводя мысли от намеченного на завтра события. Уже к середине прогулки Иван не сомневался, что возможный отрицательный результат операции не застанет его врасплох. Проигранное сражение — еще не вся война. А воевать он собрался упрямо и героически.

День пролетел быстро. Джек с гордостью отметил отсутствие тревожности, пульс был спокойным, дыхание — ровным. Он с успехом преодолевал один из опаснейших участков пути, где так велика вероятность стать жертвой завышенных ожиданий.

Вечером ненадолго зашел доктор Вангенхайм, измерил давление, уточнил расписание на завтра, пожелал спокойной ночи и удалился. Джек достал плеер и надел наушники, собираясь включить что-нибудь из классической музыки.

В дверь заскреблись и тут же ее открыли.

Иван отложил плеер и повернул голову в сторону невидимого гостя.

— Слышала, завтра у тебя важный день, — задумчиво протянула Гретхен.

— Здравствуй, — улыбнулся он. — Ты так поздно торчишь на работе?

— Наведываюсь в палаты слепых, подворовываю то, что плохо лежит, — ответила девушка и подошла ближе, тихо цокая набойками.

«Скучные классические лодочки на низком толстом каблуке, — предположил Джек. — Шпильки звучат агрессивней».

— Могу отдать тебе плеер, — он махнул рукой на тумбочку.

— За него, наверное, и сорока марок не выручишь? — пренебрежительно фыркнула Гретхен. — Мне бы что-то более ценное.

— Будь я романтиком, подарил бы тебе свое сердце.

— Твое сердце уже давно мое, — ее голос раздался неожиданно близко, у самого уха. Джек почувствовал, как мягкие пальцы коснулись его груди и, задержавшись на мгновение, упорхнули.

— Ты умело манипулируешь мужскими инстинктами, — помедлив, ответил Джек. Физического возбуждения он не ощущал, но присутствие медсестры однозначно его будоражило. Интересно, насколько близок придуманный им образ к настоящей Гретхен. Он представлял ее тонкой, высокой брюнеткой с острыми чертами лица, хотя именно такой типаж никогда его не привлекал. Проскользнула шальная идея: не притянуть ли девушку к себе, дабы мануально обследовать объект? Но он тут же подумал, что наверняка «объект» именно этого и ждет. В таком случае пусть удивится. Настроение его было если не игривым, то близким к тому.

Джек отступил на пару шагов назад и оперся о подоконник.

— Ты ходишь в бары?

— Бывает, — сухо бросила медсестра.

Он с трудом удержал ликующую ухмылку: неужели действительно расстроилась, что не обнял?

— Для чего?

— Известно для чего. Напиться и наделать глупостей. — Гретхен опять заговорила нежно и мелодично. И все-таки в приятном, обволакивающем тембре ее голоса пряталась строгость учительницы. Джек давно не встречал столь интересной особы. Разумеется, львиную долю ее очарования он нафантазировал, однако ж кое-какие задатки в ней, несомненно, есть.

— И когда последний раз ты совершала какую-нибудь глупость?

— Да вот прямо сейчас и совершаю.

— Ты заставляешь меня волноваться.

— Ты умеешь лгать не хуже меня, — язвительно отозвалась Гретхен. — Я не заметила у тебя волнения, хотя смотрела с пристрастием.

— Ты чем-то расстроена? — предположил Джек.

— С чего ты решил? — слишком поспешно ответила она.

— Так я прав?

Медсестра проигнорировала его вопрос. Джек почувствовал витавшее в воздухе напряжение. Это было странно. Обычно Гретхен являла собой образец спокойствия и юмора, сегодня же в ней явно присутствовала нервозность. Она была чем-то озабочена и безуспешно пыталась скрыть этот факт.

— Гретхен? — позвал он.

— Да?

— Что тебя тревожит?

— Знаешь, когда я тебя впервые увидела, сперва не поверила, что ты незрячий, — рассеянно протянула Гретхен. — У тебя совершенно осмысленный взгляд. Как будто ты все видишь и только притворяешься слепым. Жутковатое зрелище.

Джек замешкался с ответом, не зная, как реагировать на ее заявление. Гретхен вела себя странно, и он терялся в догадках об истинных причинах. Раньше психотерапевт Кравцов без труда определял основные раздражители и больные места пациента, даже когда тот не горел желанием откровенничать. С Гретхен сей процесс заметно усложнялся. То ли она столь искусно маскировалась, то ли сама не поспевала за разнонаправленными векторами в своей голове. Конечно, они находились в неравных условиях. Джек не мог насильно усадить Гретхен рядом и заставить говорить. Она не слишком стремилась раскрывать свою личность. Он довольствовался намеками и не испытывал стремления к большему. До сегодняшнего дня.

Возможно, Джек инстинктивно переключал внимание на менее тревожный объект реальности. Размышлять об остроумной медсестре приятнее, чем о хирургических инструментах в глазных яблоках или о своих бесчестных поступках. Замещение — простой и действенный механизм психологической защиты.

— Думаю, операция пройдет хорошо, — неожиданно произнесла Гретхен. Джек не смог опознать интонацию ее голоса: с одинаковым успехом это могли быть и сожаление, и надежда.

— Не могу уловить, радует тебя это или огорчает, — с легкой усмешкой сказал он.

Медсестра молчала, и Джек физически ощущал на себе ее изучающий цепкий взгляд. Стало неуютно, словно бы его раздели догола и выставили на всеобщее обозрение. Джек поборол желание удостовериться, застегнута ли у него ширинка.

— Приятных снов, герр Иван, — наконец смилостивилась Гретхен и направилась к выходу. Уже открыв дверь, она оглянулась, окинув его тревожным взглядом и собираясь что-то сказать. Но так и не сказав, покинула палату.

Оставшись в одиночестве, Джек долго размышлял о загадочной медсестре. Могло статься, она всерьез увлеклась им и теперь резонно опасается, что, когда зрение к нему вернется, установившаяся между ними интимность сойдет на нет. Это была всего лишь гипотеза, лишенная доказательной базы. Гретхен не демонстрировала нежных чувств. Она всего-навсего проявляла заботу — пусть и не самым стандартным способом. А что касается ее странностей... Скорее всего они — плод воображения скучающего пациента.

Было уже поздно, но спать не хотелось. Джек пошарил рукой по тумбочке, намереваясь послушать музыку, но плеера не обнаружил. Несколько секунд он вспоминал, куда мог запихнуть его, а потом громко рассмеялся.

Глава 25

■

Сильные руки убаюкивали ее. Они были нежными и родными, Лиза расслабилась и обмякла. Она плыла куда-то по мягким белым волнам и больше не испытывала страха перед неизвестностью...

Лиза не знала, сколько прошло времени с момента ее заточения. Раньше она умудрялась считать дни, ориентируясь на приемы пищи. Палач кормил ее дважды в сутки и строго следил, чтобы пленница не морила себя голодом. Аппетит у Лизы отсутствовал но она послушно поглощала еду, понимая, что хотя бы на эти двадцать минут ограждена от ненавистной близости. Обычно маньяк сидел рядом, молчаливо следя за ее вялыми движениями. От этого внимательного взгляда пища застревала в горле, и требовалось прилагать усилия, чтобы проглотить кусочек.

Лиза ненавидела своего тюремщика самой лютой ненавистью. Эмоции не зашкаливали, не били горячим ключом, отключая рассудок и требуя немедленной мести. Лизина ненависть была тиха и обжигающе холодна и клубилась в самом центре остановившегося сердца. Ее густой белесоватый пар казался гостеприимным уютным туманом, в котором так приятно заблудиться. И только Лиза знала, что это трепещущее молочное облако внутри ее опаснее жидкого азота. Однажды она плеснет его прямо в лицо палачу и будет бесстрастно наблюдать, как стекленеют его страшные, омерзительно умные глаза.

Ненависть подпитывала Лизу гораздо лучше безвкусной пищи, которой ее кормили. Ненависть дарила ей энергию и смирение, помогая продержаться час, день, неделю. Лиза верила, что спасется. Палач однажды допустит ошибку. Нужно только подождать. Просыпаясь, пленница гадала: не сегодняшний ли день станет поворотным в ее судьбе? А засыпая, уговаривала себя не отчаиваться и потерпеть еще немного. Рано или поздно нужные обстоятельства произойдут. Главное — быть готовой. Лиза была готова каждую секунду, растянувшуюся на годы. Каждую минуту, ставшую вечностью. А потом что-то оборвалось. И она нырнула в неуправляемый поток.

Болезнь длилась долго, Лиза бредила, большую часть времени пребывая в беспамятстве и лишь изредка возвращаясь в сознание. Когда она разлепляла мутные слезящиеся глаза, пытаясь сфокусировать взгляд, собственная память бережно укрывала от нее детали реального мира. Лиза перестала понимать, где находится, сон и явь утратили четкие границы, и морозное ощущение в левой части грудной клетки казалось странным и необычным.

Время стало неделимым и неисчислимым, его монотонное полотно текло бесконечной тоскливой рекой, в которой тонули редкие эмоции и случайные мысли. Лиза перестала быть цельным независимым организмом, распавшись на мириады мелких чужеродных частиц. Они кружили в пространстве, беспрестанно сталкиваясь и создавая гулкий назойливый шум. Лиза пыталась отделаться от него, но никак не могла вспомнить, что для этого нужно сделать. Она концентрировалась на задаче, но через долю секунды падала в забытье.

Сквозь тусклое марево пробивались чьи-то смутные образы, манящие, свежие запахи тревожили обоняние и вновь исчезали. Единственной константой оставалось прикосновение влажной ткани к горячей коже. Это незамысловатое ощущение являлось тем якорем, что удерживал Лизу от полного помешательства. Она инстинктивно цеплялась пальцами за простыню, и этот нервный жест непостижимым образом успокаивал ее. Она затихала и засыпала долгим глубоким сном.

Реальность вернулась внезапно. Лиза очнулась, когда засов на двери тихо лязгнул, впуская врага. Желание распахнуть глаза и вжаться в угол было очень велико. Все воспоминания разом обрушились на пленницу, вызвав шок. Нахлынувший ужас перекрыл дыхание, и Лиза наверняка бы выдала себя, если бы пробудившаяся ненависть мгновенно не распространилась по телу, остудив кипящий страх. Нет, она не признается маньяку, что болезнь отступила. Пусть считает, что она по-прежнему беспомощна и недееспособна.

Прохладная широкая ладонь легла на ее лоб. Лиза едва не дернулась. Она думала, что привыкла к прикосновениям маньяка, но теперь ясно осознала, что к насилию привыкнуть нельзя. Можно научиться терпеть, не сходить с ума, не желать умереть. Но не привыкнуть.

Маньяк приподнял ее голову и влил в рот горьковатую жидкость. Лиза поморщилась, словно приходя в сознание, но тут же обмякла. Несколько долгих минут она чувствовала на себе изучающий взгляд, призывая всю свою волю, чтобы сохранять спокойствие. А затем палач ушел.

Пленница выждала какое-то время и разомкнула ресницы. В комнате царил полумрак, но очертания предметов все же угадывались. Свет проникал через узкую щель под дверью. Лиза лежала на толстом ватном матрасе, закутанная в многочисленные одеяла. Впервые за долгий срок ей стало жарко. Она с трудом выбралась из простыней, подушек и пледов. Каждое движение давалось большим усилием, от перенапряжения разболелась голова и пересохло во рту. Освободившись, Лиза привалилась к прохладной стене и перевела дух. Дотянулась до стоявшей рядом с подушками бутылки с водой и осушила ее наполовину.

Безысходность с новой силой накрыла пленницу. Колючий страх пополз по рукам и пояснице, поднимая волоски на теле и подбираясь к горлу. Лизина рука метнулась к шее в инстинктивном стремлении сдернуть невидимую удавку.

«Спокойней, спокойней, боже мой! — зашептала Лиза, пытаясь остановить приступ паники. — Ты выберешься, выберешься, выберешься... Ты не жертва и никогда ею не была... Все будет по-твоему. По-твоему...»

ЧЕЛОВЕК БЕЗ СЕРДЦА

Перед глазами возник светлый сосновый лес с оранжевыми тонкими стволами, уходящими в самое небо. Лизе одиннадцать лет, и они с классом поехали за город. Пока ребята помогали физруку обустроить поляну для привала и натаскать веток для костра, Лиза незаметно улизнула, чтобы в одиночестве побродить по лесу. Она пробиралась сквозь густые заросли, запоминая дорогу, чтобы с легкостью вернуться назад, и вдруг очутилась в абсолютно сказочном месте. Высокие, ровные деревья с хвойной копной на макушке источали покой и радость. Воздух был напоен звенящим солнечным светом и ароматом смолы. Маленькая Лиза застыла, зачарованная окружающей красотой. С тех пор она всегда представляла сосновый лес, когда искала душевного равновесия.

Сердцебиение утихло, дыхание выровнялось. Лиза подтянула ноги к груди и обняла колени. Ее жизнь гораздо больше, чем эта тесная каморка. Нельзя забывать о прошлом. Каждый прожитый день делал ее сильнее, умнее, ярче. Короткий период отчаяния не способен перечеркнуть прежнее счастье, прежнюю свободу. И пусть раньше Лиза не отличалась гибкостью, теперь она будет гнуться столько, сколько понадобится. Но не сломается. Ни за что не сломается.

Лиза всегда хотела приключений. За тридцать четыре года жизни приключений у нее накопилось предостаточно. Иные мечтают о них, но не смеют; Лиза же планировала и осуществляла. Ей нравились острые эмоции. Ничто не дарило ей столько восторга, как хождение по лезвию бритвы. Игры на грани опасны, но манящи... Победа достается самому смелому и бескомпромиссному. В этих играх нет морали, лишь расчет и упоение. Лиза знала секрет победы. Чтобы прийти к финишу первым, нельзя отводить взгляд от цели.

Первым зрелым желанием Лизы было найти близких по духу друзей. Она нуждалась в единомышленниках, которым можно доверять. Она долго присматривалась, прежде чем выбрать тех самых, особенных людей. Их было трое. Она подошла к ним после школьных уроков и предложила сделку. Они согласились. В ту секунду Лиза почувствовала, что поймала их на крючок. Спустя месяц Макс, Джекил и Глеб уже не представляли свою компанию без худенькой агрессивной девчонки.

Каждый из этой четверки обладал уникальным характером, однако всех их объединяло стремление жить увлекательно. Товарищи обожали риск — даже рассудительный Джекил, — потому и сошлись мгновенно и накрепко. Парни жаждали авантюр, и Лиза придумала захватывающую игру. Как же весело в нее игралось...

Круг сменялся кругом, натягивая нервы и обостряя эмоции. Раз за разом четверо товарищей испытывали на прочность собственную психику, переживали новые впечатления, клялись-божились остановиться, но не останавливались. Единожды выйдя за рамки, попадаешь в зыбкую песчаную яму, которая обваливается и затягивает все глубже. И не выбраться из нее даже при искреннем желании. Ибо яма эта не под ногами вовсе, а внутри твоей головы. Нужно заполнять ее снова и снова, чтобы ненадолго ощутить устойчивую почву, понимая, что гонке не будет конца. Лиза знала это с самого начала... Но даже она не могла предположить, к чему в результате придет.

Это было в прошлой жизни: за окном серело блеклое небо, пасмурный день наводил уныние. Над крышей соседнего дома кружили вороны. Лиза следила за их полетом и размышляла о случившейся катастрофе. А как иначе назвать то, чего ты избегал всю сознательную жизнь, но так и не смог избежать? Любовь — отупляющее чувство. Лиза не надеялась на взаимность Джека, но все-таки добровольно решила ему признаться. Напрасное унижение.

Не стоило встречаться с Джеком и говорить о любви. Выраженный словами отказ имеет силу большую, чем самое очевидное поведение. При желании легко обмануть себя, превратно читая чье-либо телодвижение. Но прямые фразы сложно истолковать неверно. Пошлые слова Джека о дружеской симпатии подействовали на Лизину любовь подобно радиации, вызывающей необратимую мутацию. Лиза полагала, что любовь обернулась ненавистью. Невежда. То были обида, злость и раздражение. Настоящая ненависть ждала ее впереди.

Если бы Лиза заперлась в четырех стенах и просто переждала приступ гнева на отвергнувшего ее мужчину, то не обрекла бы себя на чудовищное испытание, грозящее отнять остатки воли и разума. Не поехала бы за отравой, не напилась бы с горя, не попалась бы в руки маньяку. Во всем, что произошло, виновата она сама. И она же сама исправит ситуацию.

Лиза огляделась по сторонам, внезапно сообразив, что находится в новом помещении. Это был не обустроенный просторный подвал, где тянуло сыростью, а крошечная сухая комнатенка, почти чулан. Здесь едва помещались матрас и биотуалет; судя по всему, Лизу перевозили наспех, не подготовив заранее место.

Почему?

Неужели полиция напала на след преступника и он вынужден скрываться и менять дислокацию? Вряд ли он ни с того ни с сего отказался от обустроенной удобной темницы. Нежданная радость придала Лизе сил. Она поднялась и решительно шагнула к двери, игнорируя головокружение и слабость в ногах. Пленница ощупала каждый сантиметр деревянной перегородки, отделявшей ее от свободы. Попробовала выломать дверь, но лишь ушибла плечо. Подобная задача по силам кому-нибудь вроде Макса, а не тщедушной больной женщине. Лиза уперлась лбом в шершавую дверь и отрешенно подумала, что Макс, вероятно, измучился от бесплодных поисков.

Она не сомневалась, что он ищет ее. Пусть их отношения в последнее время разладились, все равно он оставался единственным мужчиной, в ком она была уверена на сто процентов. Они ссорились, расходились, плевались друг в друга ядом, но не переставали чувствовать взаимное притяжение. Лиза была привязана к Максу сильнее, чем к остальным друзьям. Даже вспыхнувшая страсть к Джеку не уменьшила эмоциональную потребность видеть, слышать, ощущать присутствие верного поклонника.

Ей нравилось, как Максим смотрит на нее. Нравилось, как реагирует на ее выходки. Он не обладал выдающимся умом, но был отчаян и предан. Если бы Лиза пообещала ему взаимность, он бы тотчас бросил свою толстозадую жену. Но Лиза понимала, что не будет счастлива с Максом. Он был хорош на расстоянии, голодный и злой. Он являлся представителем породы мужчин, теряющих интерес, когда добыча завоевана. Он и не любил ее, по большому счету. Просто возбуждался от невозможности обладать ею.

Лиза вздохнула, добрела до матраса и легла, накрывшись простыней. Образы из прежней жизни мелькали в голове, то замедляясь, то убыстряясь, и не было в их чередовании ни логики, ни последовательности. Сперва она управляла воспоминаниями, а затем утомилась и пустила их на самотек. Она смотрела кино о прошлом, и это кино не причиняло боли и не будило сколько-нибудь значимых эмоций. У ретроспективы была иная цель: напомнить зрительнице о ней самой, повысить ее самооценку. Невозможно сражаться за пустоту. Лиза наполняла себя, заводилась, как заводится боксер перед матчем.

Фоном скользила догадка о том, что она упускает нечто важное. Но уловить, что именно, никак не получалось...

Когда пришел палач, Лиза изобразила крайнюю степень слабости, тогда как чувствовала себя существенно лучше. Кое-как глотала горячий куриный бульон и молилась, чтобы ее обман не раскрылся. Пленница помнила, каким жестоким умеет быть тюремщик. Впрочем, сейчас он демонстрировал участие и неподдельную нежность. Так нежен мясник, несущий поросенка на кухню.

Лиза сделала последний глоток из кружки и откинулась на смятую постель. Палач обтер ее лоб и шею мокрым полотенцем. В комнату заглянула собака — пленница услышала ее тихие шаги.

— Иди во двор, не на что тут смотреть, — раздался уверенный голос.

Лиза внутренне сжалась: в этом голосе не звучало ни сомнений, ни озабоченности. Этот голос не мог принадлежать человеку, убегающему от полиции. Похититель держал ситуацию под контролем. Ему ничто не угрожало. Нелепо было сомневаться в его уме.

— Тяжело с вами, — вздохнул он и встал с матраса. — А ну пошли.

Лиза проводила его взглядом сквозь сжатые ресницы. Сердце пропустило удар и бешено застучало.

Он не запер дверь!

Это могло быть уловкой. Маньяк слишком хитер и вдумчив. Он никогда не спешит. Он не мог просто забыть запереть засов. Отыграть как по нотам сложную партию и проколоться на мелочи?

Несколько секунд Лиза прикидывала, стоит ли рисковать, затем порывисто встала и выбежала из комнаты. Солнечный свет, бивший в пыльные стекла, ослепил пленницу. Она быстро поморгала и огляделась. Это был деревенский дом, старый и неряшливый. Окна веранды выходили в огород. Судя по всему, рядом было крыльцо — Лиза услышала, как палач пообещал овчарке прогулку.

Нет. Это не уловка. Это ошибка.

Лиза окинула полупустую веранду отчаянным взором. В углу валялся какой-то хлам (тряпки, кастрюли, поломанная табуретка), среди которого она заметила то ли железный лом, то ли кочергу — толком не разглядеть. Метнулась к куче, выхватила прут и нырнула в комнату в тот самый миг, когда маньяк вспомнил о своей оплошности.

Украденную ценность Лиза спрятала под матрас, забросала подушками и легла сверху. Тюремщик заглянул в каморку, захлопнул дверь и запер. Когда стихли его шаги, пленница просунула руку под матрас и коснулась холодной поверхности орудия. Сжала пальцами тонкий, но увесистый предмет и ощутила, как нарастает лихорадочное волнение. Как там в детстве говорилось? Против лома нет приема? Теперь появилась возможность проверить верность этой пословицы на практике.

Лиза порывисто встала и приложила ухо к двери. Посторонних звуков не доносилось, но попытку выломать дверь лучше отложить до позднего вечера. В последнее время палач ночевал в другом месте, оставляя ее в одиночестве. Значит, у нее будет шесть-семь часов, чтобы выбраться. Вариант подкараулить маньяка утром, когда тот зайдет в комнату, и нанести удар по черепу Лиза не рассматривала. Не в той она физической форме, чтобы тягаться со здоровенным мужиком. Скорее всего, он отреагирует быстрее, чем лом опустится на его голову. Страшно представить, какая реакция последует. Нет, так подставляться нельзя.

В окна веранды Лиза успела разглядеть часть забора, ограждавшего запущенный огород, а за ним, на соседском участке, хозяйственные постройки. Очевидно, дом, где томилась невольница, стоял не обособленно. А значит, есть надежда, что рядом находятся люди. Главное — очутиться на улице и позвать их на помощь.

Лиза подавила желание немедленно схватить лом и долбить дверь до победного. Ее мелко потряхивало от избытка энергии, челюсти непроизвольно сжимались, мозг работал четко и трезво. Состояние походило на то, когда понюхаешь дорожку кокаина или выпьешь лошадиную порцию кофе. Лиза уже не помнила, когда чувствовала столь неестественную бодрость. Бездеятельность мучила ее, но еще мучительней была мысль о возможной неудаче. Слишком долго пришлось ждать, когда убийца допустит оплошность. И теперь Лизина жизнь зависела от ее самообладания.

Какое-то время она ходила из угла в угол, отсчитывая секунды. Затем села на пол и вперила взгляд в щель под дверью. Яркая полоска света постепенно тускнела и в какой-то момент стала совсем темной. Кромешная мгла окутала комнату. Лиза поднялась на ноги, нащупала узкую прорезь между дверью и косяком, просунула в нее острый конец прута и принялась медленно поворачивать его из стороны в сторону.

Дерево скрипело и сыпало под ноги труху. Острые щепки царапали кожу, перенапряженные кисти болели, а поясницу ломило. Но Лиза не останавливалась.

Минуло около часа, прежде чем дверь расшаталась настолько, что стал виден засов. Серый сумрак, хлынувший в расширенные щели, разбавил темноту помещения. Лиза протолкнула прут под засов и начала с остервенением молотить по нему.

Раздался скрежет, что-то тяжелое с лязгом упало на пол. Дверь распахнулась, и в лицо ударила светлая, звездная ночь.

Лиза на мгновение замерла, задохнувшись от избытка чувств, и рванула вперед. Входную дверь проверять не стала — наверняка тоже закрыта. Разбила окно и полезла наружу, не выпуская из рук железный прут и не замечая, что торчащие осколки стекла оставляют на ее теле глубокие порезы.

Босые ноги коснулись теплой и влажной почвы. Упоительно чистый воздух наполнил легкие. Ощущение было столь же прекрасно, сколь и пугающе. За долгий срок взаперти пленница отвыкла и от мягкости травы, и от свежести открытых пространств, и от высоты безоблачного ночного неба. Окружающий мир казался нереальной картинкой, нарисованной детским художником, — слишком безупречной, чтобы быть правдой. Лиза сжала губы, прогоняя неуместную сентиментальность, огляделась и побежала к калитке.

Едва сделала первый шаг, сзади послышалось угрожающее рычание. Лиза обернулась. В метре от нее стояла, оскалившись, огромная овчарка. Свирепые черные глаза взирали на беглянку с устрашающей решимостью. Жуткая тварь не собиралась дать ей уйти. Лиза сжала прут двумя руками и, сощурившись, посмотрела на собаку.

— Если ты нападешь, сука, я тебя убью.

Овчарка издала низкий рык и приблизилась на полшажка. Лиза отступила на полшага назад, держа прут перед собой и не сводя глаз с овчарки. Та не отреагировала на движение, поэтому Лиза отступила еще на шаг. В ту же секунду овчарка кинулась прямо на нее. Лиза была готова к атаке, отчаяние и злость придали ей силы и ловкости. Она отпрыгнула в сторону и что есть мочи ударила собаку. Овчарку отбросило в сторону, и за пару секунд, что она поднималась на лапы, Лиза успела добежать до калитки и вывалиться наружу.

Широкая неасфальтированная улица была пустынна. В окнах дома напротив горел свет. Лиза принялась долбить в железные ворота.

— Кто-нибудь! Пожалуйста! Помогите!

Дальше все произошло слишком быстро. По крайней мере, так показалось Лизе. Она улавливала лишь фрагменты происходящего, мелькавшие в ускоренном режиме.

Испуганное лицо пожилого усатого мужчины склоняется над ней и шевелит губами, что-то спрашивая. Вот еще чье-то лицо, женское, озадаченное. И еще одно, мужское, удивленное и заинтересованное. Кто-то громко говорит по телефону, очевидно, с полицией. Кто-то задает вопросы и даже получает ответы. Кто-то накидывает Лизе на плечи тонкий плед, и в тот момент она понимает, что все время была обнажена, но не испытывает по этому поводу никаких эмоций.

Лиза просит у кого-то мобильный и с третьей попытки набирает номер. Когда на том конце провода отвечают, она говорит:

— Пожалуйста, приезжай, — и тут же отдает трубку

пожилому усатому мужчине, чтобы он продиктовал адрес и объяснил, как добраться.

Приезжают полиция и «Скорая». Лизе задают вопросы, уговаривают ее выпить какую-то жидкость, обрабатывают порезы и помогают забраться внутрь кареты «Скорой помощи». Лиза сопротивляется, она никуда не поедет, пока не дождется кого-то важного. Он вот-вот должен появиться. Медики настаивают и даже пробуют силой уложить ее на носилки, но встречают столь яростный отпор, что сдаются и отходят в сторону.

На улице людно и светло: фары машин включены. Все жители близлежащих домов сбежались на место происшествия.

Врач нервно интересуется у Лизы, когда наконец им разрешат приступить к их прямым обязанностям. Лиза отвечает, что скоро. Ведь она ждет кого-то очень важного. Он вот-вот должен появиться.

Похоже, медики настроены решительно. Двое санитаров берут Лизу под локти и волокут к машине. В этот момент рядом останавливается автомобиль, из которого выбегает высокий крепкий мужчина с взъерошенными волосами. Он бросается к Лизе, подхватывает ее на руки и ныряет в «Скорую».

Лиза улыбается, прижимаясь к мощным родным плечам, и сразу расслабляется. Силы покидают ее. Она плывет куда-то по мягким белым волнам и больше не испытывает страха перед неизвестностью.

Весь путь до больницы Макс не выпускает Лизу из рук.

Глава 26

■

Солнце садилось, его теплый золотой свет струился над дорогой, автомобиль мчался вперед, безжалостно разрезая дрожащее закатное полотно. В окна врывался горячий ветер, свистел, трепал волосы. Джек уверенно сжимал руль и медленно давил на педаль газа, увеличивая скорость. Он ехал наугад, не имея конкретной цели, — дорога и была самой целью.

Он не испытал ликующего восторга, когда открыл глаза и снова увидел мир. Не разрыдался от избытка эмоций, не выдохнул с облегчением. В тот самый миг, когда зрение вернулось, Джек понял: именно так и должно быть. Все частицы пазла сложились простым и естественным образом, и картинка возникла из небытия — такой, какой задумывалась изначально. И не было в этом ни чуда, ни удачи — лишь закономерность. Любая материя рано или поздно принимает самую комфортную для нее форму. Джек снова обрел себя, став тем, кем всегда являлся. Все наносное, неправильное, чуждое отвалилось сухой шелухой.

Нет. Он не ощущал счастья. Счастье слишком поверхностное, слишком легкомысленное состояние. То, что он чувствовал, было по-настоящему велико...

Бинты сняли спустя сутки после операции. Еще сутки пациента продержали в клинике, на всякий случай. И сегодня после обеда доктор Вангенхайм сообщил, что в пребывании в стационаре больше нет надобности.

Джек удивленно вглядывался в лицо доктора. Вопреки своему бесстрастному голосу, тот оказался

304

улыбчивым подтянутым старичком с ясными веселыми глазами. При разговоре он то и дело кивал, доброжелательно посматривая на собеседника, и в целом создавал впечатление человека не только умного, но и сопереживающего. Джек долго беседовал с лечащим врачом, мысленно отмечая, как плавно, но неуклонно меняется слуховое восприятие. Теперь голос доктора Вангенхайма звучал пусть не эмоционально, но вполне живо. Будучи слепым, пациент слышал совсем иные интонации...

Палата была ровно такой, какой Джек себе ее представлял: просторная, оформленная в светло-бежевых тонах. Из окна открывался вид на больничный двор. Тот самый, где пациент наматывал бесконечные круги, скрашивая скучный досуг.

— Хочешь пройтись? — лукаво улыбаясь, спросил отец.

— Ты не можешь представить, как! — Иван оторвался от созерцания незамысловатого пейзажа и кивнул на дверь: — Пойдем?

Они вышли в коридор — широкий и светлый, с гладким, вымытым до блеска полом. Миновали холл, где на стенах висели фотографии баварских красот, а у огромного — от пола до потолка — окна располагались массивные темно-коричневые диваны и низкий деревянный столик на резных ножках. За стойкой администратора стояла молодая женщина в розовой униформе и говорила по телефону, записывая что-то в блокнот. Увидев мужчин, она улыбнулась и поздоровалась. По обе стороны стеклянных дверей высились пышные декоративные деревца в больших керамических кадках.

Двор был немного меньше в размерах, чем представлял Джек. Теперь он шагал быстрей и уверенней, поскольку незримые препятствия больше не возникали на пути. За деревьями виднелись белые прутья забора, ограждавшего территорию клиники. Сразу за ним пролегала тихая улочка с припаркованными у бордюра машинами. Джек вертел головой, не упуская ни малейшей детали.

Ель, нависавшая над тропинкой, скособочена и стара. Вверху ее ветви темно-зеленые, а внизу густо-серые. У пихты чуть поодаль прорезаются молоденькие побеги, отчего кажется, что кончики малахитовых веток обмакнули в яркую фисташковую краску. Земля усыпана мелкими светло-коричневыми шишками. Рыжеватая белка напряженно следит за людьми, цепляясь за ствол когтистыми лапками. Солнце бликует в окнах больничного корпуса. Небо бледно-голубое, безоблачное. На другом конце двора три голубя клюют крошки. Один голубь сизый, два других черно-белые. За забором едет велосипедист в синей рубашке.

Джек резко остановился, неожиданно осознав, что просто не смог бы жить, оставаясь незрячим. Недавняя слепота показалась ему нелепым недоразумением, сбоем в программе. Кто бы там наверху ни являлся ответственным за эту ошибку, он догадался вовремя устранить ее. Потому что иначе нельзя. Никак нельзя.

Джек медленно выдохнул.

— Не можешь поверить? — спросил Кравцов-старший, все это время внимательно следивший за сыном.

— Ты прав. Не могу. Но не в то, что снова вижу. А в то, что когда-то не видел. — Иван помолчал, задумчиво разглядывая голубую побелку здания. — По правде говоря, состояние у меня сейчас весьма необычное. Никогда такого не испытывал.

— Это нормально. — Сергей Иванович похлопал сына по спине. — Я бы удивился, если бы ты не испытывал ничего странного после перенесенного потрясения.

Джек посмотрел на отца. Последние сутки тот практически прописался в клинике, разделяя с сыном волнительный момент выздоровления и полностью взвалив на себя административные вопросы. Он выглядел уставшим, но не утомленным, оставался верным своей манере держаться сдержанно-отстраненно и никак не выражал бурную радость. Однако глаза его буквально светились от счастья. Джеку даже показалось, что отец помолодел, сбросив добрый десяток лет.

— Пап. — Иван кашлянул от волнения. — Я так рад тебя видеть!

Кравцов-старший расплылся в улыбке, молча притянул сына к себе, обнял и не отпускал несколько долгих секунд.

Джек подумал о том, какой он все-таки везучий человек. Не каждый ребенок может похвастаться идеальными родителями. С отцом всегда было легко, он не навязывал ему свои ценности, не поучал, позволяя сыну выбирать собственный путь. Наверное, поэтому Иван искренне интересовался мнением отца и подсознательно копировал его отношение к жизни и развивал в себе многие из его качеств. Печальные события сблизили Кравцовых еще сильнее.

— Спасибо тебе. — Джек поднял на отца полный признательности взгляд. — Если бы не ты, не знаю...

— Отставить, — прервал его Сергей Иванович. — Родные люди не нуждаются в благодарностях. Я не сделал ничего особенного. Просто оставался твоим отцом.

Джек покорно кивнул и поспешил сменить тему, почувствовав, как увлажнились глаза.

— Одолжишь мне на вечер свою машину?

— Без вопросов. — Кравцов-старший достал из кармана пиджака ключи. — Держи. Домой тебя сегодня ждать?

— Да. Попозже. Матери не говори. Устрою ей сюрприз.

Джек сбавил скорость, съехав с автобана на проселочную дорогу. За окном простирались широкие альпийские луга, изредка попадались опрятные домики с бордовыми черепичными крышами, лесистые холмы становились выше и агрессивней, пока, наконец, не явили взору всю свою скалистую мощь. Джек почти остановил автомобиль, ошарашенно глядя на открывшийся пейзаж: в высоте на каменном обрыве, укрытом пиками елей, белел восхитительно дерзкий Нойшванштайн. Лучи заходящего солнца скользили по зубчатым стенам и упрямым башенкам, окрашивая замок в призрачный желтовато-розовый цвет и придавая ему вид нереальный, потусторонний.

Несколько дней назад психотерапевт Иван Кравцов боялся, что больше никогда не увидит этот замок. А сегодня машинально выбрал маршрут, пролегающий мимо известной на весь мир деревеньки. Жизнь удивительна...

Джек припарковался у придорожного кафе, купил двойной капучино и вернулся к машине. Медленно пил ароматный напиток, опершись о капот и созерцая наступающий вечер. Там и сям сновали туристы, небо постепенно темнело, откуда-то доносился запах горящих дров. Вдалеке звучали приглушенные гусиные крики. Где-то за деревьями пряталось маленькое озерцо Шванзее. То самое Лебединое озеро, вдохновившее Чайковского на создание знаменитого балета.

Кофе был обжигающе горячим, Джек осторожно отхлебывал из бумажного стаканчика, смакуя приятный вкус. Еще никогда настоящее не было столь выпуклым, многоцветным, чувственным. Джек остро ощущал свою уникальность, осознавая при этом, что является частью чего-то феерически огромного и неизведанного. А впереди... Подумать только — целая жизнь впереди. Восхитительный шанс испробовать новое и исправить старое. Впрочем, о прошлом сейчас думать совсем не хотелось.

Джек допил кофе, выбросил стаканчик в мусорную корзину, нырнул в салон и тронулся с места. Как давно он не управлял автомобилем, не чувствовал легкую вибрацию в мышцах, не отдавался скорости полностью, без остатка. Какое наслаждение — передвигаться без посторонней помощи, легко и свободно.

Джек осмотрел палату: не забыл ли чего. Покидать вещи в сумку было делом пяти минут. Отец уехал домой, предоставив ему возможность попрощаться с клиникой и врачами, сыгравшими столь значительную роль в его судьбе. Медперсонал пациент поблагодарил еще утром и только сейчас, стоя на пороге, внезапно вспомнил о Гретхен.

Последние двое суток она не появлялась, а Джек, к своему стыду, так увлекся празднованием победы, что напрочь позабыл о заботливой медсестре. Странно, что она сама о себе не напомнила. Девушка не отличалась особой деликатностью. Надо ее срочно отыскать, сказать спасибо, глядя ей в глаза. Любопытно, какая она...

Джек бросил беглый взгляд в зеркало, висевшее у двери: лицо похудевшее, волосы нуждаются в стрижке, веки припухшие, под глазами заметные синяки. Да, лоску поубавилось. Он с удивлением понял, что волнуется перед встречей. С чего бы? Гретхен видела его чуть ли не каждый день, так зачем нервничать по поводу потрепанной внешности? Глупости все это. Еще неизвестно, как выглядит сама медсестра.

Джек взял сумку и спустился на первый этаж. У стойки администратора стояла уже знакомая улыбчивая женщина в розовом костюме. Из-под ее аккуратного головного убора выбивались кокетливые темные пряди.

— Я бы хотел увидеть Гретхен, — обратился к ней Иван. — Медсестру, которая меня обслуживала.

Женщина понимающе кивнула, быстро набрала запрос и, не отрываясь от монитора, сообщила:

— Вас обслуживали три медсестры. Но никакой Гретхен среди них не значится.

— Вы уверены? — Джек насторожился, начиная подозревать неладное.

Администратор еще раз пробежала глазами по таблице на экране компьютера:

— Совершенно уверена. И насколько мне известно, у нас в клинике нет сотрудницы с таким именем.

Джек помолчал, переваривая информацию.

— Хорошо. В таком случае в чьи обязанности входило сопровождение меня на прогулках?

— У всех трех были эти обязанности, герр Иван, — терпеливо сообщила администратор.

— Но сопровождала меня преимущественно одна и та же. К сожалению, описать я ее не смогу, — невесело усмехнулся Джек. — Кто-нибудь из этих трех медсестер сейчас в клинике?

Женщина в розовой униформе снова сверилась с компьютером:

— Да. Две на рабочем месте. Хотите, чтобы я их пригласила?

— Очень любезно с вашей стороны. Я не отниму у них много времени, обещаю.

Десять минут спустя, перекинувшись с медсестрами парой вежливых фраз, Джек удостоверился, что Гретхен среди них нет. Ее низкий мелодичный голос сложно не распознать. Он подошел к стойке администратора и, блеснув белозубой улыбкой, произнес:

— Простите, что в очередной раз отвлекаю вас. Мне осталось поблагодарить третью медсестру. Вы сказали, она сегодня не работает?

— Совершенно верно. Со вчерашнего дня Магда в отпуске. Сожалею.

«Магда, значит», — мысленно хмыкнул Джек, а вслух сказал:

— Я понимаю, что моя просьба слишком дерзкая, но не могли бы вы дать мне номер ее телефона?

— Это персональная информация, я не имею права...

— Я понимаю, — Джек прочитал имя администратора на приколотом к груди бейджике. — Хельга. Я клянусь, что не сделаю ничего противозаконного. Врачи этой клиники вернули мне зрение. Было бы чудовищной несправедливостью не сказать спасибо всем, кто причастен к моему исцелению. Я улетаю сегодня ночью обратно в Россию. Пожалуйста, не обрекайте меня на душевные мучения.

Хельга замялась в нерешительности, но сдаваться не спешила.

— Разве вас не обидело бы, если бы человек, которому вы самозабвенно помогали, плюнул на ваши усилия и даже не попрощался? — Джек изобразил благородное негодование. — Хельга, пожалуйста. Позвольте мне не быть подлецом! («Хотя бы в этом».)

Хельга шумно вздохнула, капитулируя под натиском оппонента.

— Хорошо. — Она защелкала по клавиатуре. — Записывайте мобильный. Только я вам ничего не говорила.

Окончательно стемнело. Воздух начал остывать, но было все еще очень тепло. Нагретый за день асфальт источал волны жара, и этот насыщенный едкий запах казался Джеку упоительным ароматом. Так пахла свобода. После бесконечно долгого периода зависимости ее ценность увеличилась в сотни, тысячи раз.

Джек перестал следить за трассой, не заботясь о

маршруте. Сейчас он даже примерно не сказал бы, где находится. Полчаса назад он свернул на узкую боковую дорогу. Деревеньки и городки остались далеко позади, вокруг не наблюдалось никаких признаков цивилизации. Свет фонарей не разбавлял густоту ночи, шум многочисленных двигателей не нарушал тишину. Он остановил автомобиль у обочины и выбрался наружу.

Чувство благодарности и умиротворения переполняло его. Все в этом гармоничном мире казалось правильным. Прошлое утратило горечь, будущее не тревожило, настоящее не сочилось ядовитой тоской. Джек смотрел в небо — черное, беззвездное. Темнота над его головой больше не пугала, не причиняла боли. Просто потому, что теперь он мог отвести взгляд и увидеть маленький красный огонек на приборной панели автомобиля...

Джек достал мобильный и набрал номер.

— Да? — ответил по-немецки знакомый женский голос.

— Здравствуй, Магда.

— Зови меня Гретхен, герр Иван. Я не люблю свое настоящее имя. Нашел-таки меня?

— Еще бы не найти. Ты украла мой плеер, — улыбнулся он.

— А, да, точно.

— И еще ты хотела о чем-то попросить, — напомнил Джек.

— Ты не забыл! — удивилась Гретхен.

— Не забыл.

— Но ты можешь отказаться. — Ее голос звучал предельно серьезно.

— Не раньше чем услышу, от чего именно.

— Резонно, — согласилась девушка и умолкла.

Джек подождал несколько секунд:

— Гретхен?

— Да?

— Я слушаю.

Собеседница выдержала паузу, собираясь с духом, а затем озвучила свою просьбу. Минуту или две Джек стоял, молча размышляя над услышанным.

— Дай мне немного времени, — наконец произнес он.

— Конечно, — согласилась Гретхен и положила трубку.

Джек сел за руль, включил навигатор, развернул машину и помчался в сторону Мюнхена.

Он даже не знал, как она выглядит. Не знал, какой она человек. С самого первого дня знакомства Гретхен лгала ему. Что, если и ее просьба всего лишь циничный розыгрыш?

Всю дорогу до дома Джека не покидало странное ощущение невесомости, он гнал под триста километров в час, но почти не замечал скорости. Вновь и вновь мысленно проговаривал предложение Гретхен, все меньше понимая и все больше чувствуя. Жизнь слишком парадоксальна, чтобы вмещать ее в рациональные рамки. Кем бы ни являлась Гретхен, Джека к ней тянуло. Глупо отрицать очевидное.

Спустя два часа, подъехав к большому двухэтажному особняку в респектабельном районе Мюнхена и заглушив двигатель, он посмотрел на валявшийся на пассажирском сиденье мобильный и решительно протянул к нему руку...

— Гретхен. Я согласен.

Оглавление

∎

Глава 1 5
Глава 2 13
Глава 3 21
Глава 4 31
Глава 5 42
Глава 6 57
Глава 7 68
Глава 8 76
Глава 9 90
Глава 10 106
Глава 11 115
Глава 12 131
Глава 13 144
Глава 14 161
Глава 15 169
Глава 16 182
Глава 17 193
Глава 18 207
Глава 19 220
Глава 20 231
Глава 21 248
Глава 22 261
Глава 23 270
Глава 24 278
Глава 25 289
Глава 26 304

Литературно-художественное издание

ЧУЖИЕ ИГРЫ
Остросюжетные романы Т. Коган

Коган Татьяна Васильевна

ЧЕЛОВЕК БЕЗ СЕРДЦА

Ответственный редактор *А. Антонова*
Редактор *Т. Семенова*
Художественный редактор *С. Груздев*
Технический редактор *О. Лёвкин*
Компьютерная верстка *Л. Панина*
Корректор *В. Назарова*

ООО «Издательство «Эксмо»
123308, Москва, ул. Зорге, д. 1. Тел. 8 (495) 411-68-86, 8 (495) 956-39-21.
Home page: **www.eksmo.ru**   E-mail: **info@eksmo.ru**

Өндіруші: «ЭКСМО» АҚБ Баспасы, 123308, Мәскеу, Ресей, Зорге көшесі, 1 үй.
Тел. 8 (495) 411-68-86, 8 (495) 956-39-21.
Home page: www.eksmo.ru   E-mail: info@eksmo.ru.
Тауар белгісі: «Эксмо»
Қазақстан Республикасында дистрибьютор және өнім бойынша
арыз-талаптарды қабылдаушының
өкілі «РДЦ-Алматы» ЖШС, Алматы қ., Домбровский көш., 3«а», литер Б, офис 1.
Тел.: 8 (727) 2 51 59 89,90,91,92, факс: 8 (727) 251 58 12 вн. 107; E-mail: RDC-Almaty@eksmo.kz
Өнімнің жарамдылық мерзімі шектелмеген.
Сертификация туралы ақпарат сайтта: www.eksmo.ru/certification

Сведения о подтверждении соответствия издания согласно
законодательству РФ о техническом регулировании
можно получить по адресу: http://eksmo.ru/certification/

Өндірген мемлекет: Ресей
Сертификация қарастырылмаған

Подписано в печать 15.12.2014. Формат 84x108¹/₃₂.
Гарнитура «Гарамонд». Печать офсетная. Усл. печ. л. 16,8.
Тираж 6000 экз. Заказ А-3350.

Отпечатано в полном соответствии с качеством
предоставленного электронного оригинал-макета
в типографии филиала ОАО «ТАТМЕДИА» «ПИК «Идел-Пресс».
420066, г. Казань, ул. Декабристов, 2.
E-mail: idelpress@mail.ru

ISBN 978-5-699-77800-3

9 785699 778003 >